MILAN
ET LES LACS

Libre Expression
QUEBECOR MEDIA

Gauche **Villa Balbianello, lac de Côme** Centre **Stazione Centrale, Milan** Droite **Isola Bella, lac Majeur**

Libre Expression
QUÉBECOR MÉDIA

Direction
Cécile Boyer-Runge

Responsable de pôle
Amélie Baghdiguian

Édition
Catherine Laussucq

Traduit et adapté de l'anglais par
Dominique Brotot
avec la collaboration d'Isabelle de Jaham
et d'Aurélie Pregliasco

Mise en pages (PAO)
Maogani

DK
www.dk.com

Ce guide *Top 10* a été établi par
Reid Bramblett

Publié pour la première fois
en Grande-Bretagne en 2002 sous le titre :
*Eyewitness Top 10 Travel Guides :
Top 10 Milan & the lakes*
© Dorling Kindersley Limited, London 2005
© Hachette Livre (Hachette Tourisme) pour
la traduction et l'édition française 2005
© Éditions Libre Expression, 2005, pour
l'édition française au Canada

Imprimé et relié en Italie par Graphicom

Éditions Libre Expression
7, chemin Bates
Outremont (Québec)
H2V 4V7

Dépôt légal : 1er trimestre 2005
ISBN : 2-7648-0205-6

Sommaire

Milan et les lacs Top 10

Aussi soigneusement qu'il ait été établi,
ce guide n'est pas à l'abri
des changements de dernière heure.
Faites-nous part de vos remarques,
informez-nous de vos découvertes
personnelles : nous accordons
la plus grande attention
au courrier de nos lecteurs.

Gauche **Vignoble, lac de Lugano** Centre **Rocca di Angera, lac Majeur** Droite **Gelateria**

Gauche **Galleria Vittorio Emanuele II, Milan** Droite **Mantoue**

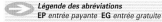

Légende des abréviations
EP *entrée payante* **EG** *entrée gratuite*

MILAN ET
LES LACS
TOP 10

MILAN ET LES LACS

À ne pas manquer

Capitale économique de l'Italie, Milan offre au visiteur le dynamisme d'un grand pôle des médias, de la finance et de la mode mais aussi le patrimoine architectural et culturel d'une cité à un carrefour des échanges en Europe. La ville est à 40 minutes en train des « lacs » où se mirent les sommets des Préalpes.

Lac de Côme

1 La Cène par Léonard de Vinci

La célèbre fresque a très mal résisté à l'humidité du fait de la technique choisie par le génie de la Renaissance afin de pouvoir travailler à son ryhtme (3 ans). Des membres du petit peuple de Milan ont servi de modèles aux personnages *(p. 8-9)*.

2 Duomo de Milan

La construction de la plus grande cathédrale gothique du monde demanda plus de 400 ans. Une forêt de flèches et de statues hérisse son toit en terrasse d'où la vue porte sur toute la plaine du Pô *(p.10-11)*.

3 Pinacoteca di Brera

La plus riche collection de peintures de l'Italie du Nord comprend des chefs-d'œuvre, notamment de Mantegna, Giovanni Bellini, Piero della Francesca, Raphaël et le Caravage *(p.12-15)*.

Castello Sforzesco 4

La vaste forteresse entreprise en 1358 par les Visconti et remaniée à partir de 1450 par les Sforza abrite aujourd'hui plusieurs musées. La collection de sculptures compte environ 2 000 pièces, dont la *Pietà Rondanini* de Michel-Ange *(p. 16-17)*.

Pinacoteca Ambrosiana 5

Frédéric Borromée réunit ces tableaux et dessins, de Léonard de Vinci et de Botticelli, entre autres, pour l'Académie des beaux-arts *(p. 18-19)*.

Les lacs

Sant'Ambrogio 6

L'église fondée en 379 par l'évêque Ambroise, qui deviendra le saint patron de Milan, conserve des mosaïques et des sculptures datant du IVᵉ s. *(p. 20-21)*.

Îles Borromées du lac Majeur 7

La puissante famille des Borromées a construit de somptueuses résidences sur deux de ces trois îles. La dernière abrite un ancien village de pêcheurs *(p. 22-23)*.

Certosa di Pavia 8

Apogée de l'architecture Renaissance en Lombardie, la chartreuse de Pavie possède une exubérante façade de marbre, de splendides tombeaux et retables et des fresques *(p. 24-25)*.

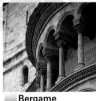

Bergame 9

Ses boutiques et sa cuisine généreuse ajoutent à l'attrait de cette cité prospère aux rues médiévales bordées d'édifices Renaissance *(p. 26-27)*.

Mantoue 10

Des lacs entourent de trois côtés la ville où la famille princière des Gonzague invita de grands artistes à participer à la construction et la décoration de ses palais Renaissance *(p. 28-29)*.

⑩ *La Cène* par Léonard de Vinci

La Cène, fresque exécutée par Léonard de Vinci entre 1495 et 1497, compte parmi les grands chefs-d'œuvre de la Renaissance. Elle couvre un mur du réfectoire de l'ancien monastère dominicain de l'église Santa Maria delle Grazie. Au xxᵉ s., l'écrivain Aldous Huxley l'appela « l'œuvre d'art la plus triste du monde ». Il n'évoquait pas son sujet – le moment où le Christ révèle à ses disciples que l'un d'eux le trahira – mais son état de détérioration. Ses derniers restaurateurs, en 1999, ont dû supprimer six couches de rajouts.

Santa Maria delle Grazie

⏱ Mieux vaut réserver au moins deux jours à l'avance, voire une semaine au printemps.

🎧 L'audioguide explique en détail pourquoi une fresque aussi abîmée revêt une telle importance.

🍺 Un peu plus bas, sur la via Magenta, au via Carducci 13, le Bar Magenta sert de la Guinness à la pression dans le cadre chaleureux d'un café du début du xxᵉ s. *(p. 65).*

• Plan J3 • information touristique, piazza S Maria delle Grazie 2 /corso Magenta
• 02-8942-1146
• www.cenacoloviciano.it
• ouv. : mar.-dim. 8h-19h30 • EP 6,50 €, réservation 1,50 € ; EG pour les citoyens de l'U.E. de moins de 18 ans ou de plus de 65 ans • ticket commun Cenacolo, Pinacoteca di Brera et Museo Teatrale della Scala : 10 €.

À ne pas manquer

1. Composition
2. Auréole de Jésus
3. Judas
4. La table
5. Perspective
6. Éclairage
7. Reflets
8. Armoiries au-dessus de la peinture
9. *Crucifixion* sur le mur opposé
10. Exemple de vieillissement

1 Composition
Léonard de Vinci étudiait à l'époque la propagation des sons et des ondes. Les positions et attitudes des personnages, répartis selon le principe ternaire de la Trinité, évoquent une vague qui se propage depuis Jésus, provoquée par son annonce, puis rebondit sur les murs et revient vers lui.

2 Auréole de Jésus
L'artiste concilie le symbolisme médiéval du nimbe et l'aspiration au réalisme propre à la Renaissance en asseyant le Christ devant une fenêtre qui rend l'auréole discrète *(ci-dessous).*

3 Judas
La représentation traditionnelle place Judas à l'opposé de tous les autres participants au repas. Plus subtil, Léonard de Vinci mêle le traître aux autres disciples *(ci-dessus).*

4 La table
Nappe, couverts et aliments ressemblent probablement à ceux des moines de l'époque. Ils avaient ainsi l'illusion de partager leur repas avec Jésus et les apôtres.

Autres œuvres de Léonard de Vinci **p. 48**

5 Perspective

Les murs de la pièce représentée paraissent dans le prolongement de ceux du réfectoire réel. Le Christ se trouve au point de fuite, et le regard du spectateur est instinctivement attiré vers ses yeux.

6 Éclairage

Remarquez les effets produits par l'interaction subtile entre les trois sources de lumière : le réfectoire lui-même, les fenêtres percées dans le mur de gauche, et celles de la fresque peintes en arrière-plan.

7 Reflets

Des reflets aux couleurs des robes des apôtres, sur les verres et les assiettes en étain, renforcent l'illusion de réalité *(ci-dessus)*.

8 Armoiries au-dessus de la peinture

Léonard de Vinci peignit aussi les lunettes dans la partie supérieure du mur *(ci-dessous)* et semble avoir pris autant de plaisir à représenter l'écu des Sforza qu'à composer la vaste scène qu'il domine.

9 *Crucifixion* sur le mur

Les visiteurs accordent souvent une telle attention à *La Cène* qu'ils négligent la fresque qui lui fait face. Peinte en 1495 par Montorfano, elle est pourtant plus vive.

10 Exemple de vieillissement

Donato Montorfano exécuta sa *Crucifixion* en vrai *buon fresco*. Les personnages agenouillés sur les côtés ont été rajoutés selon la méthode de Léonard de Vinci.

Une fresque endommagée

Plutôt que d'utiliser la méthode du *buon fresco* (application de pigments sur un enduit humide), Léonard de Vinci peignit à la détrempe sur un mortier de colle et de plâtre, une technique normalement réservée au bois. Malheureusement, son œuvre commença à se détériorer avant même son achèvement. Des soldats de Napoléon la dégradèrent, puis un bombardement détruisit le toit du réfectoire en 1943. Une récente restauration a comblé avec des lavis clairs les zones disparues.

🔟 Duomo de Milan

La construction de la cathédrale de Milan, troisième église du monde par la taille, prit près de 430 ans, de la pose de la première pierre en 1386 jusqu'à l'achèvement de la façade sous Napoléon en 1813. Mais ses bâtisseurs s'en tinrent essentiellement au style gothique. Des milliers de statues décorent l'extérieur, et 52 piliers soutiennent les voûtes.

Vue du toit

🚫 L'entrée est interdite aux personnes aux épaules dénudées, ou dont la jupe ou le short ne descendent pas au moins à mi-cuisse. Prévoyez un châle.

Par temps dégagé, la vue depuis la terrasse porte jusqu'aux Alpes. Le quartier offre un large choix de cafés, mais rien n'égale un Campari au Zucca, à l'entrée de la Galleria Vittorio Emanuele II *(p. 64 et 80)*.

- Plan M4
- piazza del Duomo
- 02-860-358
- cathédrale : ouv. t.l.j. 7h-19h, EG
- terrasse : ouv. t.l.j. 9h-17h45 (16 fév.-14 nov. jusqu'à 16h15), EP 5 € par ascenseur, 3,50 € par l'escalier
- Museo del Duomo : piazza del Duomo 14, ouv. t.l.j. : 10h-13h15, 15h-18h, EP 6 €
- terrasse et musée 7 €.

À ne pas manquer

1. Façade
2. Nefs
3. Battistero Paleocristiano
4. Vitraux
5. Tombeau de Jean-Jacques de Médicis
6. *Saint Barthélemy écorché*
7. Déambulatoire et crypte
8. Terrasse
9. Madonnina
10. Museo del Duomo

Façade
1 Entreprise en 1616, la façade associe les styles gothique et baroque. Ses portes en bronze et ses reliefs les plus récents *(ci-dessus)* datent de 1805 à1813. Une grande opération de ravalement de la totalité de l'extérieur du Duomo, commencée en 2002, durera plusieurs années.

Nefs
2 D'imposants piliers, portant des statues de saints dans des niches, divisent l'espace intérieur en cinq nefs *(à droite)*. Les « entrelacs » gothiques aux voûtes des quatre nefs extérieures sont en fait des peintures en trompe-l'œil du XVIᵉ s.

3 Battistero Paleocristiano

Un escalier près de l'entrée mène à des vestiges paléochrétiens, dont ceux de thermes romains du Iᵉʳ s. av. J.-C., d'un baptistère datant de 287 et d'une belle basilique du IVᵉ s.

Façade du Duomo avant son ravalement

Autres églises en Lombardie p. 38-39

Vitraux
4 Des douzaines de vitraux *(à gauche)* teintent la lumière qui pénètre dans la cathédrale. Le plus ancien, dans le bas-côté droit, remonte à 1470, le plus récent fut exécuté en 1988.

Tombeau de Jean-Jacques de Médicis
5 Sculpté par Leone Leoni entre 1560 et 1563, le monument comporte une effigie grandeur nature du *condottiere* en tenue de centurion romain.

Saint Barthélemy écorché
6 Cette œuvre de Marco d'Agrate (1562) montre le martyr, muscles et veines exposés, portant sa peau jetée sur l'épaule de manière presque guillerette.

Terrasse
8 Un ascenseur ou un escalier de 166 marches permettent d'accéder à un univers féerique de flèches et de statues *(ci-dessus)*, et à une superbe vue *(p. 34)*.

Madonnina
9 Perchée à 108 m de hauteur au sommet de la tour centrale de la cathédrale, la « petite Vierge » en cuivre doré *(à droite)* veille sur Milan depuis 1774. Pendant des siècles, jusqu'à la construction de la tour Pirelli *(p. 37)*, elle est restée le point culminant de la capitale lombarde.

Plan du Duomo

Déambulatoire et crypte
7 Le déambulatoire est réservé au culte, mais les visiteurs peuvent admirer la porte de la sacristie, bel exemple du style lombard du XIVᵉ s. Un escalier mène au trésor, riche en orfèvrerie religieuse, et à la crypte abritant le reliquaire en cristal de saint Charles Borromée.

La fabbrica del Duomo

En dialecte milanais, la formule *la fabbrica del Duomo*, « la construction du Dôme », désigne une entreprise qui paraît ne devoir jamais finir. L'édification de la cathédrale demanda effectivement 427 ans, et il n'existe pas meilleur exemple de la ténacité des Milanais. Les bâtisseurs restèrent étonnamment fidèles au style gothique, ignorant presque complètement les sirènes de la Renaissance, du baroque et du néoclassicisme.

Museo del Duomo
10 Installé dans le Palazzo Reale *(p. 73)* voisin, le musée du Dôme renferme des vitraux et des tapisseries de la cathédrale mis ici en sécurité. La collection comprend un chef-d'œuvre du Tintoret, *Jésus parmi les docteurs*, et des maquettes du Duomo.

TOP 10 Pinacoteca di Brera

La pinacothèque de Milan se distingue des autres grands musées d'art d'Italie car elle doit sa création à Napoléon. Ce dernier voulut rendre accessible au peuple des œuvres provenant d'églises désaffectées dans la région. Depuis l'ouverture au public en 1809, les collections se sont enrichies et comprennent certains des plus beaux tableaux de la Renaissance et du baroque italiens. La Brera possède aussi une petite section de peintures et de sculptures modernes.

1 Rixe dans la galerie d'Umberto Boccioni

Ce tableau de 1911 *(ci-dessus)* montre les Milanais se précipitant au Caffè Zucca *(p. 64)*. La Brera abrite aussi *Ville qui s'élève*.

Pinacoteca di Brera

À ne pas manquer

1. Rixe dans la galerie
2. Polyptique de Valle Romita
3. Le *Christ mort*
4. Vierge à l'Enfant
5. Découverte du corps de saint Marc
6. Retable de la Brera
7. Mariage de la Vierge
8. Cène d'Emmaüs
9. Bacino di San Marco
10. Le Baiser

🎧 Les audioguides mettent en perspective les tableaux.

Bon marché et sans limitation de nombre, les visites guidées doivent être réservées deux ou trois jours à l'avance.

🍽 Le quartier recèle de nombreux bars et cafés *(p. 90)*.

• Plan M2 • via Brera 28
• 02-722-631 • www.brera.beniculturali.it
• ouv. mar.-dim. 8h30-19h15 • EP 5 € ; EG pour les citoyens de l'U.E. de moins de 18 ans ou de plus de 65 ans • ticket commun Cenacolo, Pinacoteca di Brera et Museo Teatrale della Scala : 10 €.

2 Polyptique de Valle Romita par Gentile da Fabriano

Napoléon fournit les cinq panneaux principaux de ce retable gothique exécuté en 1410. Le musée acquit plus tard les quatre autres.

3 Le Christ mort par Mantegna

L'un des plus grands virtuoses de la perspective à l'époque de la Renaissance peignit son chef-d'œuvre vers 1500 *(ci-dessous)*.

Bacino di San Marco par Canaletto

4 Vierge à l'Enfant par Giovanni Bellini

La collection comprend plusieurs œuvres majeures de ce maître de la Renaissance vénitienne, dont deux *Vierge à l'Enfant* très différentes. L'une, peinte vers 30 ans, évoque un portrait de style flamand. La seconde, beaucoup plus tardive, resplendit de lumière et de couleurs.

Découverte du corps de saint Marc par le Tintoret

Dans cette œuvre des années 1560, le précurseur vénitien du maniérisme joue brillamment de sa maîtrise de la perspective et de la lumière.

Pala Montefletro par Piero della Francesca

Ce tableau de 1472 montre le duc Federico da Montefletro, protecteur du peintre, agenouillé devant la Vierge entourée de saints, le Christ sur ses genoux. Quelques mois plus tôt, le duc avait perdu sa femme en couches.

Pinacoteca di Brera

Entrée

Mariage de la Vierge par Raphaël

Dans cette œuvre de jeunesse, peinte vers 1504, Raphaël reste fidèle, par le thème et les grandes lignes de la composition, à son maître le Pérugin, mais il fait un usage personnel de la perspective à point de fuite unique.

Cène d'Emmaüs par le Caravage

La deuxième version de la Cène par le Caravage *(ci-dessus)* date de 1605. La pâleur des visages et la profondeur des ombres accentuent la solitude du Christ.

Bacino di San Marco de Canaletto

Les tableaux du Vénitien du XVIIIᵉ s. Canaletto rayonnent de sa passion pour sa ville. Il peignit au moins sept versions de ce paysage *(ci-dessus)*.

Le Baiser par Francesco Hayez

Œuvre d'un artiste qui avait 68 ans, cette scène pleine de fougue *(à gauche)* est une allégorie optimiste, en 1859, de l'unification de l'Italie alors en cours.

Le palais

Ancien collège jésuite bâti entre 1591 et 1658, le Palazzo di Brera de style baroque tardif acheva de prendre son visage actuel vers 1780. Il entoure une vaste cour où se dresse une statue de Napoléon en dieu Mars. Il s'agit d'une copie en bronze, l'original en marbre se trouve à Londres.

En visite à la Brera

🔟 Les collections de la Brera

Le Buveur par Boccioni

sculptures du xxᵉ s., avec des œuvres de Boccioni, Morandi, Severini, Modigliani, Picasso et Braque.

1 Primitifs italiens (salles II-IV)

Le naturalisme et la qualité d'émotion apportés par Giotto ont profondément transformé l'art italien. Son influence est manifeste dans *Trois Scènes de la vie de Santa Columna,* de Pietro da Rimini. Les autres œuvres marquantes comprennent une *Vierge à l'Enfant* par le Toscan Ambrogio Lorenzetti, le *Polyptique de Valle Romita* par Gentile da Fabriano et la *Sainte Conversation* par le Vénitien Cima da Conegliano.

2 Collection Jesi d'art du xxᵉ s. (salle X)

Grâce à la donation faite par Maria Jesi, la Brera devint en 1976 le premier grand musée italien à acquérir une collection significative de peintures et de

3 Renaissance vénitienne (salles V-XIV)

Dans ces dix salles, l'art vénitien fournit à la pinacothèque de Milan la plus grande partie de ses peintures majeures, dont *Le Christ mort (p. 12)* de Mantegna et plusieurs tableaux importants de son beau-frère Giovanni Bellini, dont une *Pietà* d'une grande force évocatrice. Maîtres de la Renaissance tardive, le Tintoret, Titien et Véronèse composent des scènes très animées et merveilleusement éclairées.

4 Renaissance lombarde (salles XV-XIX)

Cette section doit ses fleurons aux membres de la famille crémonaise des Campi, inspirés au xviᵉ s. par Raphaël et, surtout, par Léonard de Vinci. La minuscule salle XIX est consacrée aux héritiers directs de ce dernier : il Bergognone et Bernardino Luini.

Polyptique de Valle Romita

5 Renaissance des Marches (salles XX-XXIII)

Ces salles abritent des peintures exécutées aux xvᵉ et xviᵉ s. en Italie

Le Mariage de la Vierge par Raphaël

centrale. Plusieurs polyptyques encore proches du style gothique international témoignent de la virtuosité de Carlo Crivelli.

6 Renaissance toscane (salles XXIV-XXVII)

La collection compte peu de pièces, mais des merveilles, notamment la *Pala Montefletro* de Piero de la Francesca, le *Mariage de la Vierge* de Raphaël et des tableaux de Bramante, Signorelli et Bronzino.

7 Renaissance bolonaise au XVIIᵉ s. (salle XXVIII)

Pendant que Florence et Rome succombaient aux expérimentations maniéristes, les artistes bolonais Ludovic Carrache, le Guerchin et Guido Reni s'en tenaient à une ligne classique et épuraient leur style naturaliste.

8 Le Caravage et les caravagesques (salle XXIX)

Les contrastes marqués et la tension dramatique de compositions comme la *Cène d'Emmaüs (p. 13)* influencèrent toute une génération de peintres européens. Mattia Preti, José de

Ribera, Orazio Gentilleschi et Valentin de Bologne figurent parmi les meilleurs.

9 Baroque et rococo (salles XXX-XXXVI)

La fin du XVIᵉ s. vit se développer un style très animé, le baroque, dont Daniele Crespi et Pierre de Cortone furent deux représentants importants. Tiepolo et Giuseppe Maria Crespi annoncent le tour précieux qu'il prendra avec le rococo.

10 Peintures du XIXᵉ s. (salles XXXVII-XXXVIII)

Ces dernières salles présentent surtout de l'intérêt pour les toiles de Francesco Hayez et des « Macchiaioli » (Fattori, Segantini et Lega), une école dont le travail sur la tache est antérieur à l'impressionnisme.

Portrait de Moisè Kisling par Modigliani

Castello Sforzesco

Entrepris en 1451 pour Francesco Sforza, ce palais Renaissance à l'aspect de forteresse devint une caserne et connut deux importantes restaurations : entre 1893 et 1904 et après la Seconde Guerre mondiale. Il abrite des collections de peintures et de sculptures du Moyen Âge au xviiie s., d'objets décoratifs, d'instruments de musique, d'art oriental et d'archéologie. Elles sont toutes d'accès gratuit.

Madonna Trivulzio par Mantegna

Entrée principale

À ne pas manquer

1. Pietà Rondanini
2. Effigie funéraire de Gaston de Foix
3. Sala delle Asse
4. Vierge en gloire
5. Vierge à l'Enfant
6. Poète couronné
7. Printemps
8. Arazzi Trivulzio
9. Civico Museo Archeologico
10. Parco Sempione

L'une des *Arazzi Trivulzio* (le mois de septembre)

🔆 Renseignez-vous sur les visites guidées, parfois nocturnes, qui permettent de découvrir des parties du palais normalement fermées au public, et parfois d'accéder aux remparts.

💬 Les marchands ambulants pratiquent des prix exagérés et mieux vaut éviter les bars les plus proches. Le café situé au 15 de la via Dante sert des sandwichs généreux et de bonnes glaces.

• Plan K2
• Piazza Castello
• 02-8846-3807
• www.milanocastello.it
• ouv. t.l.j. 9h-17h30
• EG • certaines sections sont en rénovation ; la disposition des œuvres peut varier.

1 Pietà Rondanini de Michel-Ange

Michel-Ange acquit la renommée avec une *Pietà* (aujourd'hui au Vatican) sculptée à 25 ans. Et il rendit son dernier souffle, en 1564, en travaillant à la *Pietà* exposée au Castello Sforzesco (*ci-dessous, à droite*). Elle est inachevée mais cela ne retire rien à sa beauté et à sa puissance d'expression.

2 Effigie funéraire de Gaston de Foix

Neveu de Louis XII, duc de Nemours, maréchal de France et souverain du duché de Milan alors français, Gaston de Foix périt en héros en 1512 à la bataille de Ravenne. Le Milanais il Bambaia exécuta son tombeau entre 1515 et 1522 (*voir encadré*).

3 Sala delle Asse

Léonard de Vinci peignit en 1498 le décor en trompe-l'œil de la voûte de la « salle des Planches ». Cette végétation touffue a été plusieurs fois recouverte. Et aujourd'hui, un seul élément, une racine sinueuse, sur le mur, entre les deux fenêtres, est assurément d'origine.

4 Vierge en gloire par Mantegna

Le peintre exécuta ce retable *(à gauche)* pour une église de Vérone en 1497 ; sa signature apparaît sur une feuille tenue par l'un des chanteurs. Tempéré par l'âge et l'expérience, son style a perdu la rigueur qu'il avait à ses débuts.

5 Vierge à l'Enfant par Bellini

Des détails, comme le citron que contemple le Christ, apportent une dimension très humaine à ce portrait *(ci-dessus)* peint entre 1468 et 1470.

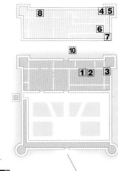

Légende

▨ Rez-de-chaussée

▨ Premier étage

6 Poète couronné par Bellini

Ce tableau de 1475 *(ci-dessous)* a aussi été attribué à Antonella da Messina. Les cheveux et les yeux du sujet sont traités avec une attention et une minutie presque flamandes.

Tombeau de Gaston de Foix

François Ier commanda en 1515 un monument funéraire à la mémoire du jeune héros de Ravenne, mort au combat à 23 ans. Il restait inachevé quand les Français se retirèrent des affaires milanaises en 1522, et ses éléments furent mis en vente. Ils ont abouti ici, à la Pinacoteca Ambrosiana *(p. 19)*, à Turin et à Londres.

8 Arazzi Trivulzio

Bramantino dessina en 1503 les cartons des *Tapisseries des douze mois (ci-dessus)*, exécutées à Vigevano. Elles prirent le nom de l'homme qui les commanda : le général Gian Giacomo Trivulzio.

9 Civico Museo Archeologico

Les collections du Musée archéologique, très riches, vont du paléolithique jusqu'aux dernières ethnies celtes d'Italie au Ier s. av. J.-C. *(p. 85)*.

7 Printemps par Arcimboldo

Cette allégorie du printemps sous forme d'un profil composé de fleurs et de fruits offre un exemple typique du travail du maniériste Giuseppe Arcimboldo.

10 Parco Sempione

D'une superficie de 47 ha, le parc au nord-est du château est le seul vrai espace vert du centre-ville. Public depuis 1893, il renferme d'élégantes constructions Art nouveau *(p. 85)*.

📖10 Pinacoteca Ambrosiana

Le palais construit en 1609 pour le cardinal Frédéric Borromée abrite toujours sa bibliothèque, riche, aujourd'hui, de quelque 35 000 manuscrits et 750 000 livres, ainsi que sa collection de peintures et de dessins, entre autres, de Tiepolo, Francesco Hayez et Jean Bruegel. L'institution est restée un lieu d'étude fidèle à l'esprit de la Renaissance, c'est-à-dire sans barrières entre les quêtes religieuses, intellectuelles et esthétiques.

Cour intérieure

🞕 Il existe un billet commun pour l'Ambrosiana, le Museo Diocesano et le Museo del Duomo.

🞕 En tournant l'angle de la via Spadari, vous trouverez Peck (p. 68), réputé pour son épicerie fine et sa vaste *tavola calda* (snack-bar).

- *Plan L4*
- *piazza Pio XI 2*
- *02-806-921*
- *www. ambrosiana.it*
- *ouv. mar.-dim. 10h-17h30*
- *EP 7,50 €.*

À ne pas manquer

1 *Vierge au baldaquin*
2 *Portrait d'un musicien*
3 *Code Atlantique*
4 *Adoration des Mages*
5 *Sainte Famille*
6 *Repos pendant la fuite en Égypte*
7 *Carton pour L' École d'Athènes*
8 *Corbeille de fruits*
9 *Paysage avec la conversion de saint Paul*
10 *Reliefs du tombeau de Gaston de Foix*

1 Vierge au baldaquin de Botticelli

Ce tableau montrant Marie et Jésus dans un cadre pastoral *(ci-dessous à gauche)* date des années 1490. Une crise religieuse détourna Sandro Botticelli des scènes mythologiques qui avaient fondé sa réputation.

2 Portrait d'un musicien par Léonard de Vinci

Les experts ont aujourd'hui acquis la quasi-certitude que ce portrait d'un musicien de la cour des Sforza *(à droite)*, à la profondeur psychologique typique de Léonard de Vinci, est bien de la main du maître. Mais il a probablement été retouché au fil des siècles.

Page du Code Atlantique

3 Code Atlantique de Léonard de Vinci

Des vitrines renferment les reproductions de pages de ce grand carnet de notes *(ci-dessus)* où le génie de la Renaissance décrivit des inventions.

4 *Adoration des Mages* par Titien

Exécutée en 1560, cette composition complexe au décor pastoral faisait partie de la collection rassemblée par Frédéric Borromée. Le cardinal la considérait comme une « école pour les peintres ».

5 *Sainte Famille* par Bernardino Luini

Cette toile s'inspire d'un célèbre dessin de Léonard de Vinci, dont Bernardino Luini fut un disciple. Ce dernier fut marqué, à ses débuts, par la démarche esthétique du maître.

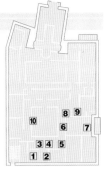

6 *Repos pendant la fuite en Égypte* de Bassano

Dans cette peinture de 1547 *(ci-dessous)*, l'artiste vénitien Jacopo Bassano joue d'une palette intense, riche en couleurs contrastées.

7 Carton de Raphaël pour *L'École d'Athènes*

Cette œuvre exemplaire célèbre la source de la pensée occidentale en la personne des philosophes grecs *(ci-dessous)*.

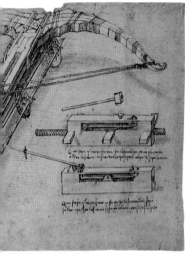

8 *Corbeille de fruits* du Caravage

Probablement achetée par le cardinal Borromée pendant son séjour à Rome, cette nature morte montre que le peintre avait déjà maîtrisé à 25 ans la précision naturaliste dont il userait plus tard pour des scènes plus complexes et des toiles plus ambitieuses.

9 *Paysage avec la conversion de saint Paul* par Paul Bril

La pinacothèque possède neuf œuvres de l'artiste d'origine flamande. La plus spectaculaire place dans un cadre très recherché l'un des épisodes religieux les plus populaires au début du XVIIᵉ s.

10 Reliefs du tombeau de Gaston de Foix par il Bambaia

Cette série de petits panneaux de marbre montrant des personnages entourés d'équipement militaire et de créatures mythologiques était destinée au monument funéraire ; son gisant compte parmi les fleurons du Castello Sforzesco *(p. 16-17)*.

La révélation de Raphaël

La fresque de *L'École d'Athènes*, au Vatican, comporte un portrait de Michel-Ange en Héraclite, absent sur le carton. Raphaël décida de le rajouter ensuite car il fut profondément impressionné par les peintures de la chapelle Sixtine.

Sant'Ambrogio

La basilique entreprise en 379 par saint Ambroise, alors archevêque de la ville, a servi de modèle à la plupart des premières églises de Milan. Agrandie au IXᵉ s., elle prit son visage actuel à partir de 1080, et offre l'un des plus beaux exemples d'architecture romane en Lombardie. Elle reste l'un des lieux de culte les plus chers au cœur des Milanais, car sa crypte renferme les reliques de son fondateur et des saints Gervais et Protais.

Nef

🔵 Le Museo Diocesano *(p. 93)* renferme désormais les objets les plus intéressants, parmi les plus déplaçables, du trésor et du petit musée de l'église.

🔵 Le fabuleux Bar Magenta Art nouveau *(p. 65)* vous attend au nord-ouest, via Carducci 13.

- Plan K4
- piazza Sant'Ambrogio 15, 02-8645-0895, ouv. lun.-sam. 7h-12h et 15h-19h, dim. 7h-13h et 15h-20h ; EG
- San Vittore in Ciel d'Oro, ouv. t.l.j. 9h30-11h45 et 14h30-18h ; église EG, musée EP 2 €.

À ne pas manquer

1. Atrium
2. Façade
3. Colonne au serpent
4. *Rédempteur* d'il Bergognone
5. Sarcophage de Stilicho
6. Chaire
7. Maître-autel
8. Ciborium
9. Mosaïque de l'abside
10. Sacello di San Vittore in Ciel d'Oro

1 Atrium
Un long atrium *(ci-dessous)* construit entre 1088 et 1099 s'étend entre l'entrée et la basilique. Des chapiteaux sculptés au VIᵉ s. de scènes fantastiques coiffent ses nombreuses colonnes.

2 Façade
Deux campaniles asymétriques, la tour des Moines du IXᵉs. et la tour des Chanoines de 1144, encadrent la sobre façade à l'entrée surmontée d'une loggia de cinq arcades *(à droite)*. Des bas-reliefs du IVᵉ s. ornent les portails.

4 *Rédempteur* d'il Bergognone
Cette peinture limpide, dans la première chapelle à gauche, date de la fin du XVᵉ s. Elle occupait à l'origine une position sur le mur à droite de l'autel où son architecture en trompe-l'œil avait davantage sa place qu'aujourd'hui.

Maître-autel

3 Colonne au serpent
À l'intérieur du troisième pilier sur la gauche, une courte colonne porte un serpent en bronze de style byzantin du Xᵉ s. Selon une légende locale, ce serait le serpent de Moïse.

Chaire
6 Après qu'un tremblement de terre eut causé l'effondrement du toit en 1196, elle a été reconstruite avec des éléments sculptés romans de la chaire précédente *(à gauche)*.

Sarcophage de Stilicho
5 Entouré par la chaire, et orné de reliefs bibliques et d'animaux fantastiques, ce tombeau du IVᵉ s. *(ci-dessus)* est resté dans l'alignement des murs d'origine.

Maître-autel
7 Son décor incrusté de pierres précieuses *(ci-dessous)* date de 835. La façade recouverte de feuilles d'or illustre la vie du Christ ; le dos, en argent doré, celle de saint Ambroise.

Plan de la basilique — *Entrée*

Ciborium
8 Paré de quatre reliefs en stuc polychrome de style lombard du Xᵉ s., le baldaquin du maître-autel *(ci-dessous)* repose sur des colonnes romaines.

Saint Ambroise

Nommé archevêque de Milan en 374, Ambroise (340-397) entreprit la construction de quatre grandes basiliques : celle qui porte aujourd'hui son nom, San Lorenzo, San Nazaro et San Sempliciano. Il instruisit saint Augustin dans le christianisme, et le baptisa en 387. Canonisé peu après sa mort, il devint le patron de la capitale lombarde.

Mosaïque de l'abside
9 La grande mosaïque à la voûte *(ci-dessus)* remonte en majeure partie aux IVᵉ-VIIIᵉ s. Elle représente le Christ Pantocrator dominant les saints Gervais et Protais. En 1943, un bombardement détruisit la moitié du Sauveur et l'archange de gauche.

Sacello di San Vittore in Ciel d'Oro
10 La chapelle qui ouvre au fond du bas-côté droit existait avant la basilique, et elle conserve un éblouissant décor en mosaïques du Vᵉ s. Saint Ambroise se découpe en haut à gauche sur un fond azur.

10 Îles Borromées du lac Majeur

La famille des Borromées a façonné les trois petites îles situées entre les stations de villégiature de Stresa, Baveno et Pallanza. Isola Bella est la première à mériter une visite si le temps vous manque, car elle abrite le somptueux Palazzo Borromeo et son parc en terrasses. Isola Madre se prête toutefois mieux à la détente et présente plus d'intérêt botanique. Isola dei Pescatori renferme des restaurants et des hôtels.

4 Isola Bella : grottes

Dans les grottes artificielles, très en vogue au XVIIIᵉ s., des stucs et des galets composent un décor en noir et blanc très spectaculaire *(ci-dessus)*.

Jardin d'Isola Madre

⭐ Achetez un ticket d'entrée à prix réduit quand vous prenez votre billet de bateau à Stresa.

Les jardins d'Isola Bella restent ouverts toute la journée, mais l'accès, par le palais, est impossible entre 12h et 13h.

🍴 Parmi les nombreux cafés du quai d'Isola Bella, le Café Lago sert sandwichs, café et bière sur fond de musique rock.

- plan A2
- prendre le bateau à Stresa (p. 99)
- www.borromeo turismo.it
- Isola Bella 0323-30-556, 22 mars-26 oct. : t.l.j. 9h-17h30 (jusqu'à 17h en oct.), EP 8,50 €
- Isola Madre 0323-31-261, 22 mars-26 oct. : t.l.j. 9h-17h30 (jusqu'à 17h en oct.), EP 8,50 €.

À ne pas manquer

1 Isola Bella : Palazzo Borromeo
2 Isola Bella : sala di Musica du palais
3 Isola Bella : tapisseries du palais
4 Isola Bella : grottes
5 Isola Bella : tombeaux des Borromées
6 Isola Bella : jardins
7 Isola Madre : Villa Borromeo
8 Isola Madre : jardin botanique
9 Isola Madre : cyprès du Cachemire
10 Isola dei Pescatori

1 Isola Bella : Palazzo Borromeo

Principalement édifié au XVIIᵉ s., mais achevé seulement en 1959, le palais baroque *(ci-dessous)* occupe, avec son parc, presque toute la superficie de l'île. Les pièces abritent un luxueux mobilier, des objets d'art et des tableaux.

Jardins d'Isola Bella

2 Isola Bella : sala di Musica du palais

La salle de Musique doit son nom à une collection d'instruments anciens. Le 11 avril 1935, elle accueillit la réunion entre Mussolini, Laval et MacDonald dans le but d'éviter une nouvelle guerre.

3 Isola Bella : tapisseries du palais

Exécutées en Flandre au XVIᵉ s., elles ont pour thème récurrent la licorne, symbole de pureté et emblème héraldique de la famille des Borromées.

5 Isola Bella : tombeaux des Borromées

Bâtie entre 1842 et 1844, la « chapelle privée » abrite deux mausolées du XVe s. dont le style se trouve au tournant du gothique et de la Renaissance, et un monument aux frères Birago, sculpté en 1522 par il Bambaia.

6 Isola Bella : jardins

Une licorne se dresse au sommet de la pyramide formée par les terrasses agrémentées de statues *(à gauche)*. Des paons blancs arpentent les pelouses.

7 Isola Madre : Villa Borromeo

Cette résidence d'été édifiée entre 1518 et 1585 est devenue un musée. Il possède une charmante collection de décors de théâtre de marionnettes.

Lago Maggiore — Pallanza
Baveno — Isola Madre
Isola dei Pescatori
Isola Bella
Stresa

8 Isola Madre : jardin botanique

D'une superficie de 8 ha, le parc *(ci-dessus)* qui entoure la Villa Borromeo est réputé depuis le XIXe s. pour ses azalées, ses rhododendrons et ses camélias. Somptueux, il mérite qu'on prenne le temps d'y flâner.

9 Isola Madre : cyprès du Cachemire

Vieux de plus de deux siècles, le plus grand cyprès d'Europe domine une cour gravillonnée du jardin botanique.

Isola dei Pescatori 10

Les Borromées ne se firent pas construire de résidence sur cette île, également connue sous le nom d'Isola Superiore *(à droite)*, mais la laissèrent aux pêcheurs qui l'occupaient. Elle attire aujourd'hui artistes et touristes.

La famille des Borromées

Originaires de Toscane, dont ils fuirent les intrigues politiques en 1395, les Borromées financèrent l'ascension à Milan des Visconti. Ils achetèrent le fief d'Arona en 1447, puis louvoyèrent habilement dans les turbulences politiques de l'époque, se mariant avec sagesse et s'associant aux Sforza tout en prenant lentement le contrôle du lac Majeur. Les îles restent une propriété familiale.

Excursion d'un journée au lac Majeur **p. 101**

10 Certosa di Pavia

La chartreuse de Pavie, chef-d'œuvre de la Renaissance lombarde, se trouve à 8 km au nord de la ville. Sa construction, commencée en 1396 par Gian Galeazzo Visconti dans le dessein d'en faire un mausolée familial, fut achevée par les Sforza au xvie s. Abandonné en 1782, puis occupé par intermittence, le monastère abrite aujourd'hui des cisterciens.

Façade de la chartreuse

À moins d'aime la foule, évitez les week-ends.

Pour franchir la grille baroque de 1660 fermant la nef, attendez qu'un moine emmène un groupe découvrir les tombeaux et les cloîtres.

Il n'existe aucun endroit où se restaurer près de la chartreuse. Prévoyez un pique-nique ou allez à Pavie.

• Plan C5 • via del Monumento 4
• ouv. oct.-mars : mar.-dim. 9h-11h30 et 14h30-16h30 ; avr. : mar.-dim. 9h-11h30 et 14h30-17h30 ; mai.-sept. : mar.-dim. 9h-11h30 et 14h30-18h
• EG • office du tourisme de Pavie 0382-22-156.

À ne pas manquer

1. Façade
2. Retable du Pérugin
3. Œuvres d'il Bergognone
4. *Saint Ambroise et quatre saints*
5. Gisants de Ludovic le More et Béatrice d'Este
6. Triptyque en ivoire
7. Mausolée de Gian Galeazzo Visconti
8. Grand cloître
9. Petit cloître
10. Boutique des moines

Façade

1 Le sculpteur G. A. Amadeo travailla de 1473 à 1499 à sa partie inférieure, d'une rare richesse décorative avec ses statues et ses marbres polychromes *(ci-dessus à gauche)*. C. Lombardo commença en 1525 la partie supérieure, qui reste inachevée – elle n'a jamais reçu son fronton.

Retable du Pérugin

2 Des six panneaux originaux peints en 1499 par le premier maître de Raphaël ne subsiste que celui du *Père éternel (à gauche)*. Deux peintures par il Bergognone l'encadrent. Les autres panneaux du polyptyque sont des reproductions qui furent exécutées au xvie s.

Petit cloître

Œuvres d'il Bergognone

3 Il Bergognone peignit les retables de trois chapelles, ainsi que des fresques dans la septième à droite *(détail ci-dessus)* et aux voûtes du transept, où l'artiste représenta Gian Galeazzo Visconti avec ses enfants.

4 Saint Ambroise et quatre saints

Peint par il Bergognone en 1492, le retable de la sixième chapelle à gauche reproduit le cadre dans lequel il se trouve pour donner l'illusion d'une présence réelle des personnages.

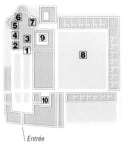

Entrée

5 Gisants de Ludovic le More et Béatrice d'Este

Le monument le plus célèbre de la chartreuse est un tombeau vide *(voir encadré)*. Cristoforo Solari sculpta en 1497 les effigies, très expressives, du couple princier qui aurait dû l'occuper.

7 Mausolée de Gian Galeazzo Visconti

Gian Cristoforo Romano sculpta les scènes de la vie du fondateur de la chartreuse qui ornent son monument funéraire (1492-1497). Galeazzo Alessi exécuta le sarcophage. Les statues de la V*ierge*, de la *Gloire* et de la *Victoire* sont des ajouts datant du milieu du XVI⁰ s.

9 Petit cloître

Guiniforte Solari dessina ses gracieuses arcades décorées de motifs en terre cuite. Elles offrent une vue splendide de l'église et de sa tour à étages.

8 Grand cloître

Sur le grand cloître *(ci-dessous)* s'ouvrent les 24 cellules aujourd'hui occupées par les cisterciens. Chacune comporte trois pièces, sur deux niveaux, et donne sur son propre petit jardin clos.

6 Triptyque en ivoire

Ce retable (1400–1409) du sculpteur florentin Baldassare degli Embriachi comporte 76 compartiments où 100 figurines illustrent des épisodes de la Bible. Il fut dérobé en 1984, et l'enquête qui permit de le retrouver aboutit au démantèlement d'un réseau international.

Les pérégrinations d'un tombeau

Ludovic le More avait décidé de reposer, avec sa femme Béatrice d'Este, au monastère de Santa Maria delle Grazie, à Milan, où Léonard de Vinci venait de peindre *La Cène*. En homme prévoyant, il commanda leur tombeau onze ans avant sa mort. Il n'avait toutefois pas imaginé qu'il décéderait en exil en France, et que seule Béatrice serait inhumée à Milan, ni que Santa Maria delle Grazie vendrait leur monument funéraire à la chartreuse en 1564.

10 Boutique des moines

Les visiteurs peuvent y acquérir les liqueurs et les produits de toilette fabriqués au monastère.

Pavie **p. 46**

TOP10 Bergame

Joyau de l'Italie du Nord où naquit la commedia dell'arte, Bergame associe cachet historique et sophistication culturelle. La division entre la ville haute, aux édifices médiévaux et Renaissance perchés sur une colline, et la ville basse, dont les quartiers modernes s'étendent dans la plaine, reproduit celle entre civitas et suburbia de l'époque romaine.

Baptistère

🕐 **Pour atteindre la ville haute depuis la gare, prenez le bus 1 ou 1A, puis, gratuitement, le Funicolare Bergamo Alta.**

🍴 **Le Caffè del Funiculare offre un large panorama de la vallée et le choix entre 50 bières et 100 whiskys (p. 128-129).**

• plan D3
• information touristique ville haute : vicolo Aquila Nera 2 (par la piazza Vecchia) • 035-232-730
• www.apt.bergamo.it
• basilique, ouv. t.l.j. 9h-12h (13h dim.) et 15h-18h ; EG
• Museo Donizettiano, ouv. mar.-dim. 9h30-13h et 14h-17h30 ; oct.-mars ferm. en semaine l'après-midi ; EG
• Castello, ouv. t.l.j. 9h-coucher du soleil ; EG
• Galleria d'Arte, ouv. mar.-dim. 10h-13h et 15h-18h45 ; EG
• Galleria dell'Accademia Carrara, ouv. mar.-dim. 9h30-13h et 14h30-18h45 (oct.-mars 17h45) ; EP 2,58 €.

À ne pas manquer

1. Piazza del Duomo
2. Piazza Vecchia
3. Cappella Colleoni
4. Basilica di Santa Maria Maggiore
5. Museo Donizettiano
6. Via Colleoni
7. Castello
8. Galleria d'Arte Moderna e Contemporanea
9. Galleria dell'Accademia Carrara
10. Teatro Donizetti

1 Piazza del Duomo

Elle regroupe la cathédrale, la chapelle Colleoni, un baptistère bâti en 1340 *(ci-dessus à gauche)* et le porche de la basilique Santa Maria Maggiore.

2 Piazza Vecchia

Une tour du XIIᵉ s., des bâtiments médiévaux, des palais Renaissance et plusieurs cafés anciens bordent la « Place Vieille » *(ci-dessus à droite)*, cœur du quartier historique.

Piazza Vecchia

3 Cappella Colleoni

Œuvre de G.A. Amadeo, qui travailla aussi à la chartreuse de Pavie *(p. 24-25)*, cette splendide chapelle Renaissance possède une façade très animée *(à gauche)*. Elle abrite les tombeaux du *condottiere* Bartolomeo Colleoni et de sa fille.

4 Basilica di Santa Maria Maggiore

Des fresques couvrent les voûtes de la basilique d'origine romane. Le tombeau du compositeur Donizetti se trouve contre le mur du fond. Lorenzo Lotto dessina les stalles de marqueterie au XVIᵉ s.

Bergame

5 Museo Donizettiano

Le musée consacré au compositeur Gaetano Donizetti (1797-1848) abrite des objets qui lui ont appartenu, dont son piano *(à gauche)* et le lit où il mourut de la syphilis.

6 Via Colleoni

Boutiques, bars à vin, maisons à colombages et petites églises et demeures médiévales bordent la grand-rue de la ville haute où se pressent les Bergamasques et les visiteurs à l'heure de la promenade du soir.

7 Castello

Un deuxième funiculaire mène au hameau de San Vigilio où un jardin public doté d'une belle vue des montagnes entoure les ruines de la forteresse bâtie aux XVIe et XVIIe s. par les maîtres vénitiens de Bergame.

8 Galleria d'Arte Moderna e Contemporanea

Le musée d'Art moderne de Bergame expose des œuvres de peintres italiens clés du XXe s., comme Giovanni Fattori, Boccioni, De Chirico et Morandi. Il accueille aussi des expositions temporaires.

9 Galleria dell' Accademia Carrara

Réputée pour ses tableaux par Lorenzo Lotto (1480-1556), l'une des plus riches collections d'art d'Italie du Nord comprend également des œuvres de Raphaël et Botticelli *(ci-dessus)*.

10 Teatro Donizetti

Construit en 1792, le théâtre Donizetti conserve, derrière une façade de 1897, un décor intérieur néo-classique superbement préservé. Il présente des spectacles d'opéra, de théâtre et de ballet.

La ville basse

Beaucoup de visiteurs négligent les rues aérées de Bergamo Bassa. Celles-ci furent aménagées principalement au XXe s. sur un site déjà colonisé à l'époque romaine. Les habitants aiment s'y retrouver le soir sur l'artère principale, le Sentierone, pour faire du lèche-vitrines ou discuter au café.

^{TOP}10 Mantoue

L'humidité dégagée par les trois lacs artificiels qui l'entourent contribue à donner à Mantoue une atmosphère légèrement mélancolique. Les Gonzague la dirigèrent de 1328 à sa conquête par l'Autriche en 1708, et elle leur doit les majestueux édifices et les chefs-d'œuvre d'artistes comme Mantegna et Giulio Romano. Virgile y vit le jour en 70 av. J.-C. et Giuseppe Verdi y situa son opéra **Rigoletto**.

Fresque de la chambre du Vent, Palazzo Tè

🐾 **Pour flâner en vrai Mantouan, louez un vélo à La Rigola, sur le lungolago dei Gonzaga.**

🍴 **Le Caffè Miró borde la placette dominée par Sant'Andrea (p. 128-129).**

• Plan H6 • information touristique : piazza Mantegna 6
• 0376-328-253
• www.aptmantova.it
• Duomo t.l.j. 7h30-12h et 15h-19h ; EG
• Palazzo Ducale mar.-dim. 8h45-19h15 ; EP 6,50 €
• Sant'Andrea t.l.j. 7h30-12h et 15h-19h ; EG
• Rotonda t.l.j. 10h-12h et 15h-17h ; contribution
• Teatro mar.-dim. 9h30-12h30 et 17h-18h ; EP 2 €
• Palazzo d'Arco mar.-dim. 10h-12h30 et 14h30-17h30 ; EP 3 €
• Casa di Mantegna lun.-ven. 10h-12h30 et jeu.-dim 15h-18h ; EG
• Palazzo Tè mar.-dim. 9h-18h, lun. 13h-18h ; EP 8 €.

À ne pas manquer

1. Duomo
2. Palazzo Ducale
3. Piazza Broletto
4. Piazza delle Erbe
5. Basilica di Sant'Andrea
6. Rotonda di San Lorenzo
7. Teatro Scientifico Bibena
8. Palazzo d'Arco
9. Casa di Mantegna
10. Palazzo Tè

1 Duomo
Giulio Romano remania en 1545 l'intérieur gothique ravagé par un incendie à l'image d'une basilique paléochrétienne. La façade *(à droite)* date de 1756.

2 Palazzo Ducale
Immense, l'ancien palais des Gonzague *(ci-dessus)* abrite, entre autres, des tapisseries par Raphaël et la *Chambre des Époux* de Mantegna.

3 Piazza Broletto
Au nord de la piazza delle Erbe, des bâtiments médiévaux, dont le *broletto* (hôtel de ville) de 1227, et le Palazzo Bonacolsi, entourent cette placette.

Duomo, piazza Sordello

4 Piazza delle Erbe
Sur la place aux Herbes *(ci-dessous)*, qui accueille toujours un marché le matin, un rang d'arcades fait face au Palazzo della Ragione, l'ancien palais de justice édifié en 1250.

5 Basilica di Sant'Andrea

La basilique *(à gauche)* commandée en 1470 à Leon Battista Alberti par Ludovic Gonzague reçut sa coupole baroque en 1765. La première chapelle à gauche abrite le tombeau de Mantegna.

6 Rotonda di San Lorenzo

Cette église en rotonde édifiée en 1085 possède un intérieur en brique d'une agréable sobriété. Il conserve quelques vestiges de fresques médiévales.

7 Teatro Scientifico Bibena

Pour l'inauguration, en 1770, de ce bijou baroque nommé d'après son architecte, un jeune prodige de 13 ans vint donner un concert. Il s'appelait Mozart.

8 Palazzo d'Arco

Ce palais Renaissance remanié dans le style néo-classique a conservé une aile du XVe s. où des fresques de 1520 ornent la sala del Zodiaco.

9 Casa di Mantegna

Andrea Mantegna (1431-1506) dessina sans doute la maison bâtie en 1476 où il vécut et travailla. Elle possède une gracieuse cour circulaire *(à gauche)* et renferme un portrait de l'artiste par son ami Titien.

10 Palazzo Tè

Ce palais d'été *(à droite)* construit en 1525-1535 est le chef-d'œuvre du maniériste Giulio Romano, réputé pour les illusions nées du jeu entre fresques et formes architecturales.

Promenades en bateau

Les trois lacs créés sur le cours du Mincio afin de protéger la ville sont particulièrement agréables en mai et en juin. Des roseaux bordent les rives, des lotus blanc importés dans les années 1920 flottent à la surface et les oiseaux aquatiques y trouvent un asile protégé. Negrini, via S. Giorgio 2 (0376-322-875), permet de les découvrir en bateau.

Gauche **Frédéric Ier Barberousse baise les pieds du pape Alexandre III** Droite **Benito Mussolini**

Un peu d'histoire

1 298-290 av. J.-C. : troisième guerre Samnite

Baptisée un temps la « Gaule cisalpine », la province celtique s'étendant de la vallée du Pô aux Alpes s'opposa souvent à Rome. Elle s'allia au peuple des Samnites, mais la défaite de la ligue ainsi formée permit à la République romaine d'imposer son pouvoir au-delà du fleuve.

2 313 : édit de Milan

Le déclin de Rome fit de Milan la véritable capitale de l'empire d'Occident. C'est là que Constantin, en 313, accorda le droit de cité à toutes les religions, dont le christianisme.

3 572 : les Lombards prennent Pavie

Les tribus barbares qui déferlèrent sur l'Empire romain au ve s. repartirent pour la plupart avec leur butin. Les Lombards d'origine germanique s'établirent dans la vallée du Pô après avoir pris Pavie, puis s'étendirent au nord. Leur royaume ne résista pas aux Byzantins et à Charlemagne, et la région resta partagée entre cités-États pendant tout le Moyen Âge.

4 1176 : la Ligue lombarde défait Barberousse

Quand l'empereur germanique Frédéric Ier Barberousse tenta d'imposer sa domination aux cités autonomes de l'Italie du Nord, elles s'unirent et, avec le soutien du pape Alexandre III, le vainquirent à Legnano.

5 1277 : Ottone Visconti s'impose face aux Torriani

Les Visconti prirent le pouvoir à Milan en 1277. Ils le conservèrent pendant 160 ans, étendant la domination de la ville sur une grande partie de l'Italie du Nord.

6 1450 : Francesco Sforza prend le pouvoir

À sa mort en 1447, le dernier Visconti ne laissait qu'une fille illégitime, femme d'un certain Francesco Sforza. Il fut embauché par la jeune « république ambrosienne » établie par les Milanais, pour s'opposer aux ambitions de Venise. Mais il profita de la situation pour se faire nommer duc.

Prise de Pavie par les Lombards en 572

Pages précédentes *La Cène* de Léonard de Vinci *(p. 8-9)*

7. 1499 : les Sforza cèdent Milan à la France

En 1476, le décès du fils aîné de Francesco, Galeazzo Maria, mit au pouvoir son frère Lodovico, surnommé « il Moro ». Ludovic le More invita à Milan des maîtres de la Renaissance comme Léonard de Vinci, mais dut céder son fief à Louis XII en 1499. La région changea ensuite souvent de mains avant que l'Autriche ne s'en empare en 1706.

8. 1848 : révolte des Cinque Giornate

Le 18 mars, Milan se souleva contre les Autrichiens et, au bout de cinq jours de combats, la rue l'emporta. L'ambiance était au Risorgimento, « Résurrection », l'aspiration à une Italie unie et indépendante, mais les Autrichiens revinrent très vite. Le roi du Piémont Victor-Emmanuel II prit finalement le contrôle de la Lombardie en 1859 et put envoyer Garibaldi conquérir le reste de la péninsule.

9. 1945 : exécution de Mussolini

Mussolini, reconnu par des partisans alors qu'il fuyait en Suisse, fut abattu près du lac de Côme le 28 avril. Son corps fut exposé et conspué sur le piazzale Loreto de Milan.

10. 1990 : la Ligue lombarde remporte les élections locales

Parti populiste fondé en 1984, la version moderne de la Ligue lombarde s'est fait connaître en prônant la séparation avec le Sud de l'Italie plus pauvre. Rebaptisée Ligue du Nord, elle s'est convertie au fédéralisme et s'est associée en 2001 à Forza Italia pour porter au pouvoir Silvio Berlusconi.

Grands personnages historiques

1. St Ambroise (340-397)
L'évêque de Milan mit fin à l'hérésie arienne et renforça l'indépendance de l'Église.

2. St Augustin (354-430)
Le grand philosophe fut un élève d'Ambroise.

3. Théodelinde (VIe s.)
Cette reine lombarde convertit son peuple au christianisme.

4. Gian Galeazzo Visconti (1378-1402)
Premier maître de Milan à obtenir le titre de duc, il conquit de vastes territoires.

5. Lodovico « il Moro » Sforza (1452-1508)
« Le More » introduisit les idées et l'esthétique de la Renaissance à Milan, mais dut s'incliner devant la France.

6. St Charles Borromée (1538-1584)
Archevêque et cardinal, il fut l'artisan de la Contre-Réforme en Italie du Nord.

7. Antonio Stradivarius (1644-1737)
Le plus célèbre facteur de violons de l'histoire apprit son art à Crémone.

8. Alessandro Volta (1745-1827)
L'inventeur de la pile électrique, en 1800, naquit et mourut à Côme.

9. Antonio di Pietro (1950- ?)
En 1992, ses enquêtes sur la corruption politique causèrent l'effondrement de la démocratie chrétienne.

10. Silvio Berlusconi (1936- ?)
Le fondateur de Forza Italia a traversé de nombreux scandales, mais est redevenu Premier ministre en 2001.

Gauche **Affiche de la Scala** Centre **Griffe de haute couture** Droite **Étal de** *panini*

Que faire en Lombardie

Sur la terrasse du Duomo

1 Découvrir le toit du Duomo

Avec ses 135 flèches et ses quelque 2 500 statues, le toit en terrasse de la cathédrale de Milan, unique, demanda dix ans de travaux. Le panorama de la ville et de la plaine du Pô est superbe. Par temps clair, la vue porte jusqu'aux Alpes *(p. 10-11)*.

2 Des achats à Milan

Milan compte parmi les capitales mondiales de la mode, et tous les grands noms de la haute couture *(p. 58-59)* y tiennent boutique dans le Quadrilatero d'Oro, le « Quadrilatère d'Or » *(p. 57)*. Ajoutez les créations de designers, les soieries de Côme et les devantures des épiceries fines, et vous obtenez un paradis pour amateurs de lèche-vitrines.

3 Un repas d'amuse-gueule

En début de soirée, dans beaucoup de cafés milanais, les clients disposent gratuitement d'olives, de canapés, de chips, etc. pour accompagner leurs boissons. Une tournée de quelques bars suffit pour s'offrir un dîner léger et amusant.

4 Une soirée aux Navigli

Le quartier de canaux et d'entrepôts au sud de Milan regorge aujourd'hui de pizzerias, de restaurants, de bars et de boutiques branchées *(p. 94)*.

Croisière sur le lac de Côme

Quartier des Navigli à Milan

5 Une nuit à l'opéra
La Scala, l'opéra le plus renommé d'Italie, vient de rouvrir après une longue restauration. Les mélomanes peuvent de nouveau assister à ses prestigieuses créations dans sa salle du XVIIIᵉ s. *(p. 74)*.

6 Un concert de violon à Crémone
La ville où les Amati perfectionnèrent la facture de violon et transmirent leur savoir à Stradivarius attire des virtuoses du monde entier. Ils viennent participer à des festivals, des saisons de concerts et des foires commerciales, souvent dans l'espoir de pouvoir essayer l'un des instruments historiques de la riche collection de la ville *(p. 127)*.

Au lac de Garde

7 Une croisière sur le lac de Côme
Une promenade en bateau sur le plus agréable des lacs italiens *(p. 106-113)* permet de découvrir les gracieuses villas, et leurs jardins, qui jalonnent ses rives.

8 Glisser sur le lac de Garde
À la pointe nord du lac, les vents puissants qui s'engouffrent dans la vallée du Sarca, le *sover* soufflant au sud le matin et l'*ora* remontant au nord l'après-midi, créent des conditions particulièrement favorables à la pratique de la planche à voile. Pendant tout l'été, les amateurs de sports nautiques se pressent dans les stations balnéaires de Riva del Garda et de Torbole *(p. 120)*.

9 Randonner près des lacs
Les Offices du tourisme disposent en général de cartes indiquant des itinéraires de randonnées à pied d'une durée de 15 minutes à 2 heures ou plus. Les buts de promenade ne manquent pas : châteaux en ruine (Arco sur le lac de Garde, Varenna sur celui de Côme), églises médiévales (Madonna del Sasso au-dessus de Locarno sur le lac Majeur, San Pietro au-dessus de Civate sur le lac de Côme), cascades (Lattefiume au-dessus de Varenna, cascata del Varone au-dessus de Riva del Garda) ou gravures rupestres *(ci-dessous)*.

10 Découvrir les gravures rupestres de la région
De l'âge de pierre au Moyen Âge, les habitants des vallées alpines ont laissé des milliers de gravures sur des plaques rocheuses. La plupart se trouvent dans le Val Camonica *(p. 47)*, mais il en existe quelques-unes au-dessus du lac de Garde, près du hameau de Crer accessible depuis Torri del Benaco.

Gauche **Casa degli Omenoni** Centre **Ca' Granda** Droite **Entrée de la Galleria Vittorio Emanuele II**

TOP 10 L'architecture à Milan

1 Palazzo Litta
Ce palais de 1648 dont la façade baroque date de 1763 abrite le siège de la Compagnie nationale des chemins de fer, un théâtre et un appartement de style Louis XV ouvert au public lors de manifestations ou d'expositions temporaires *(p. 88)*.

Torre Velasca

2 Palazzo della Ragione
Entrepris en 1228, l'ancien hôtel de ville roman possède un dernier étage ajouté en 1771. L'arcade en rez-de-chaussée accueillait jadis le principal marché de la ville. Le relief en façade représente Oldrado da Tresseno, podestat du XIIIe s. Le salone dei Giudici a conservé ses fresques originelles *(p. 73)*.

3 Torre Velasca
La tour, de 106 m, a été élevée entre 1956 et 1958 par les architectes Nathan Rogers, Lodovico Belgioioso et Enrico Peressutti. Son parement en brique et ses neuf étages supérieurs en déport lui donnent un aspect médiéval. Les frais d'entretien se sont révélés écrasants *(p. 76)*.

4 Ca' Granda
En 1456, Francesco Sforza commanda au Florentin Filarete la construction d'un grand hôpital Renaissance possédant des ailes séparées pour les hommes et les femmes. L'architecte donna à chacune quatre cours intérieures. Le vaste Cortile Maggiore central fut ajouté au XVIIe s., à l'instar de l'église de l'Annunciazione (retable du Guerchin). L'achèvement de l'aile des hommes, dans le style néoclassique, ne date que de 1904. L'université de Milan occupe les bâtiments depuis 1958 *(p. 76)*.

5 Galleria Vittorio Emanuele II
Giuseppe Mengoni entreprit en 1865 la construction de cette splendide galerie marchande. Ses deux allées couvertes, hautes de 32 m, dessinent une croix latine éclairée au centre par une majestueuse verrière

Galleria Vittorio Emanuele II

Palazzo *est le mot italien désignant le « palais »*

octogonale. Elle abrite certains des meilleurs restaurants et cafés de la ville, et joue un tel rôle dans sa vie sociale qu'elle a été surnommée *salotto di Milano* « salon de Milan » *(p. 74)*.

Palazzo Marino

Le *municipio* « hôtel de ville » de Milan possède deux façades. Galeazzo Alessi dessina en 1553 celle qui domine la piazza S. Fedele. Le palais lui doit aussi sa ravissante cour intérieure. Luca Beltrami éleva en 1860 la façade de la piazza della Scala *(p. 76)*.

Casa degli Omenoni

Le sculpteur Leone Leoni, auteur du tombeau de Gian Giacomo Visconti du Duomo de Milan, édifia en 1565 cette demeure Renaissance pour son usage personnel. Huit grands atlantes donnent un cachet très particulier à la façade *(p. 76)*.

Palazzo Dugnani

Cet édifice de la fin du XVIIe s. renferme, dans le salone d'Onore, un plafond peint en 1731 par Giambattista Tiepolo de scènes allégoriques à la gloire de la famille Dugnani. Il abrite le Museo del Cinema dont la modeste collection retrace l'histoire du septième art à partir de 1921 *(p. 88)*.

Tour Pirelli

À Milan, la règle voulait jadis qu'aucune construction ne dépassât en hauteur la Madonnina dorée perchée au sommet du Duomo *(p. 11)*. Le gratte-ciel de 127 m érigé entre 1955 et 1960 par une équipe d'architectes dirigée par

Stazione Centrale

Giovanni Ponti enfreignait la tradition. Une réplique de la statue fut installée sur son propre toit afin que la Madonnina reste le point de repère le plus élevé de la ville. Le gouvernement régional de la Lombardie occupe aujourd'hui l'immeuble, qui résista en 2002 à l'écrasement d'un avion de tourisme *(p. 88)*.

Stazione Centrale

Souvent considérée comme l'une des réussites architecturales de l'époque fasciste, la gare centrale de Milan, achevée en 1931 mais dessinée en 1912, doit en réalité son apparence au style Liberty, déclinaison italienne de l'Art nouveau. Remarquez la richesse décorative de la façade. ◈ *Piazza Duca d'Aosta.*

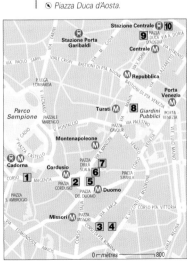

Gauche **Baptistère, Bergame** Centre **Sant'Eustorgio, Milan** Droite **Certosa di Pavia**

🔟 Églises

1 Duomo, Milan

La construction de cet imposant édifice de style gothique tardif dura de 1386 à 1813. La cathédrale de Milan possède un aspect hors du commun dû à la largeur que lui donnent ses cinq nefs, à ses multiples flèches et à la richesse de sa statuaire *(p.10-11).*

Duomo, Milan

ample rotonde à déambulatoire sous une coupole du XVIe s., ainsi que plusieurs chapelles paléochrétiennes. La chapelle Saint-Aquilin est toujours décorée de ses mosaïques vieilles de 1 600 ans *(p. 93).*

2 Sant'Ambrogio, Milan

Saint Ambroise lui-même fonda en 379 cette basilique reconstruite dans le style romano-lombard aux XIe et XIIe s. Elle renferme un maître-autel et un ciborium du IXe s., ainsi que des mosaïques paléochrétiennes *(p. 20-21).*

3 San Lorenzo Maggiore, Milan

L'église Saint-Laurent, fondée au IVe s. et remaniée au XIIe s. dans le style roman, a conservé son

4 Santa Maria delle Grazie, Milan

Chaque année, des centaines de milliers de personnes viennent admirer *La Cène* peinte par Léonard de Vinci dans le réfectoire de l'ancien monastère *(p. 8-9).* Mais beaucoup négligent l'élégante église attenante bâtie dans le style pré-Renaissance entre 1465 et 1469. Bramante la remania à partir de 1492, lui donnant sa magnifique coupole sur pendentifs ornée de *sgraffiti,* ainsi que son cloître propice à la méditation. Ne manquez pas non plus les stalles marquetées du chœur *(p. 85).*

5 Santa Maria presso San Satiro, Milan

L'entrée principale se trouve sur la via Torino, mais prenez d'abord la via Speronari pour découvrir le campanile du Xe s. et une charmante chapelle.

Sant'Ambrogio, Milan

Tournez à nouveau à droite dans la via Falcone pour contempler le chevet. Achevé en 1871, il associe styles Renaissance et baroque. Une entrée secondaire permet normalement d'accéder à l'intérieur pour admirer la décoration du XVᵉ s. *(p. 73)*.

6 Sant'Eustorgio, Milan

Ne prêtez pas attention à la façade banale. Elle fut ajoutée au XIXᵉ s., mais cache une église romano-gothique fondée dès le IVᵉ s. Derrière le maître-autel s'ouvre la Cappella Portinari. Œuvre d'artisans lombards, elle obéit tellement aux idéaux de la première Renaissance florentine qu'elle fut attribuée à Brunelleschi ou à Michelozzo. Vincenzo Foppa la décora de superbes fresques en 1486 *(p. 94)*.

7 Certosa di Pavia

Plus de 200 artistes et artisans ont travaillé à la chartreuse de Pavie entre sa fondation en 1389, par Gian Galeazzo Visconti, et son achèvement au XVIIIᵉ siècle. Ils ont créé l'un des plus beaux monuments d'Italie *(p. 24-25)*.

8 Cappella Colleoni, Bergame

Redoutable chef de guerre, Bartolomeo Colleoni reçut Bergame en fief pour les services qu'il rendit à la république de Venise. Il fit démolir la sacristie de l'église S. Maria Maggiore pour édifier à son emplacement sa chapelle funéraire, dont il confia la construction au sculpteur Amadeo. Des scènes de la vie du Christ ornent son tombeau.

Duomo, Côme

Une sculpture sur bois le représente à cheval *(p. 26)*.

9 Duomo, Côme

Chef-d'œuvre de la Renaissance lombarde, la cathédrale de Côme est dédiée au saint patron local, Sant'Abbondio, dont un grand retable doré exécuté entre 1509

Sant'Andrea, Mantoue

et 1514 retrace la légende. Le sanctuaire renferme aussi des tapisseries italiennes et flamandes et des peintures, de Bernardino Luini notamment *(p. 107)*.

10 Basilica di Sant'Andrea, Mantoue

Leon Battista Alberti, le grand théoricien de la Renaissance, dessina en 1470 cette basilique bâtie pour recevoir des vases supposés contenir de la terre imbibée du sang du Christ. Giulio Romano, l'un des premiers maniéristes, l'agrandit en 1530, et le maître baroque Juvarra ajouta la coupole en 1732. Des fresques couvrent la totalité des murs et des voûtes *(p. 29)*.

Gauche **Pinacoteca di Brera** Centre **Castello Sforzesco** Droite **Museo Nazionale della Scienza**

TOP 10 Musées

1 Pinacoteca di Brera, Milan

Le plus important musée d'Art ancien de Lombardie abrite les œuvres d'artistes tels que Mantegna, Giovanni Bellini, Piero della Francesca, le Caravage, le Tintoret, Véronèse, le Corrège, Lotto, Carpaccio, Tiepolo, El Greco et Rembrandt *(p. 12-15)*.

2 Pinacoteca Ambrosiana, Milan

Particulièrement riche en peintures lombardes, vénitiennes et flamandes, la collection réunie par le cardinal Frédéric Borromée était pour lui un complément de la bibliothèque Ambrosienne. Cette dernière est célèbre pour son *Code Atlantique*, un carnet de notes et de croquis de Léonard de Vinci dont la pinacothèque présente des reproductions *(p.18-19)*.

3 Castello Sforzesco, Milan

Le plus grand musée gratuit d'Italie renferme des richesses très variées : entre autres, des tableaux de maîtres comme Bellini et Mantegna, un étonnant cycle

de tapisseries du XVIᵉ s., des pièces archéologiques et près de 2 000 sculptures, dont la *Pietà Rondanini,* dernière création de Michel-Ange *(p.16-17)*.

4 Museo Poldi Pezzoli, Milan

Dans la demeure du collectionneur Gian Giacomo Poldi Pezzoli, les armes et armures anciennes, les bijoux historiques et les œuvres d'art ont conservé la disposition qu'il leur avait donnée. Le salon Doré regroupe des toiles de Piero della Francesca, Giovanni Bellini, Mantegna et Botticelli *(p. 74)*.

5 Museo Nazionale della Scienza e delle Tecnica – Leonardo da Vinci, Milan

Le musée des Sciences et des Techniques retrace les progrès accomplis par l'homme dans des domaines aussi divers que l'agriculture, les transports ou la production d'électricité. Il comprend une galerie consacrée aux inventions de Léonard de Vinci ; certaines ont été réalisées en maquettes d'après ses croquis *(p. 93)*.

6 Civico Museo Archeologico, Milan

Installé dans un ancien monastère dont le cloître abrite des vestiges de constructions romaines, le petit musée municipal d'Archéologie présente, entre autres, une

Pinacoteca Ambrosiana, Milan

Décor par Giacoma Balla, Museo Teatrale alla Scala, Milan

intéressante collection de céramiques antiques. Il compte parmi ses plus belles pièces la *copa diatreta Trivulzio,* une tasse de verre ouvragée datant du IVᵉ s. Elle porte une inscription signifiant « Bois pour profiter d'une longue vie » *(p. 85).*

7 Museo Teatrale alla Scala, Milan

Le musée de la Scala expose une collection hétérogène où voisinent des costumes portés par Noureïev et la Callas, des instruments de musique historiques, le masque mortuaire de Verdi et des partitions annotées de sa main, et des baguettes de Toscanini *(p. 88).*

8 Civico Museo d'Arte Contemporanea, Milan

Installée dans le Palazzo Reale néoclassique édifié en 1772, l'exposition permanente du musée d'Art contemporain de la ville de Milan met l'accent sur des artistes italiens du XXᵉ s. Le musée a été restauré en 2004 ; appelez pour avoir les horaires.

9 Galleria dell'Accademia Carrara, Bergame

Pour rendre l'art accessible au peuple, Napoléon réunit à l'académie Carrara cet ensemble exceptionnel d'œuvres de toute l'Italie du Nord. Elles comptent des peintures par Botticelli, Raphaël, Bellini, Mantegna, Canaletto, Carpaccio, Guardi et Tiepolo, mais beaucoup de visiteurs y viennent surtout pour les tableaux empreints de lyrisme de Lorenzo Lotto. Cet artiste né à Venise vers 1480 travailla à Bergame à partir de 1513 *(p. 26-27).*

10 Museo della Città, Brescia

Le cloître, les chapelles et les salles du monastère Saint-Sauveur abritent une profusion de sculptures romanes et de fresques déposées. Mais l'exposition met surtout en relief le passé romain de la cité. Les pièces archéologiques présentées sont étonnamment nombreuses, intéressantes et bien préservées *(p. 126).*

Mariage mystique de sainte Catherine, **Lotto**

Gauche **Station de Bellagio sur le lac de Côme** Droite **Sirmione**

🔟 Au bord des lacs

1 Îles Borromées, lac Majeur

Les trois petites îles au large de Stresa abritent un village de pêcheurs et deux résidences princières. Elles méritent absolument une visite *(p. 22-23)*.

Rocca di Anghera

2 Santa Caterina del Sasso, lac Majeur

Cet ermitage s'accroche depuis le XIIIe s. sur un abrupt flanc de falaise plongeant dans le lac. Les Autrichiens le vidèrent de ses occupants au XIXe s., mais des dominicains sont revenus s'y installer en 1986. Il offre une vue superbe mais un long escalier le sépare du parc de stationnement, et les dessertes en bateau sont rares. Les

Santa Caterina del Sasso

fresques abîmées de la façade et de l'intérieur de l'église datent de la création du sanctuaire au XIIIe s. La loggia qui domine le débarcadère abrite toujours le dispositif qui permettait jadis de remonter l'approvisionnement, et parfois un moine affaibli *(p. 99)*.

3 Rocca di Anghera, lac Majeur

Une forteresse lombarde du VIIIe s. veille sur le promontoire où se serrent les maisons d'Anghera. Agrandie au XIIIe s. par les Visconti, elle devint la propriété des Borromées en 1449. Elle conserve des fresques médiévales et renferme un musée de la Poupée *(p. 99)*.

4 Bellagio, lac de Côme

Bellagio est sans doute la ville la plus agréable des lacs. Les visiteurs découvriront ses cafés au bord de l'eau, ses ruelles pentues, ses villas nichées dans de somptueux jardins, ses hôtels et ses boutiques dans toutes les gammes de prix. L'église romane San Giacomo abrite une chaire du XIIe s. *(p. 108 et 110)*.

5 Duomo de Côme, lac de Côme

Entreprise en 1396, la cathédrale de Côme possède des portails richement sculptés. Sa coupole baroque, dessinée par Juvara, date du XVIIIᵉ s. *(p. 39 et 107).*

6 Villa Carlotta, lac de Côme

Construit en 1745 pour le marquis Giorgio Clerici, cet élégant palais baroque devint en 1801 la propriété de l'avocat Gian Battista Sommariva qui le remplit de sculptures néoclassiques et de peintures romantiques. Les premières comprennent une effigie de *Palamede* par Canova et un *Amour et Psyché* de son élève Tadolini, les deuxièmes *Le Dernier Baiser de Roméo et Juliette* par Francesco Hayez. La princesse Charlotte de Prusse devint la propriétaire de la villa en 1847. Elle lui donna son nom. Son mari, le prince Georges de Saxe-Meiningen, meubla la demeure dans le style Empire et aménagea son jardin botanique *(p. 44 et 108).*

7 Varenna, lac de Côme

Moins touristique que Bellagio, Varenna présente cependant presque autant d'intérêt. Une promenade longe le lac, deux petites églises décorées de fresques médiévales bordent la grand-place, deux villas offrent leurs jardins à la flânerie, et le Castello di Vezio dresse ses ruines au-dessus de la ville. Au sud, le Fiumelatte dévale la falaise d'une hauteur de 250 m. Curieusement, le torrent ne coule que de mars à octobre *(p. 108-110).*

Décor médiéval à Varenna

8 Il Vittoriale, lac de Garde

Mussolini lui-même finança la restauration de l'extravagante villa où le poète et aventurier ultra-nationaliste Gabriele d'Annunzio passa les dernières années de sa vie, de 1921 à 1938, dans un cadre qu'il avait entièrement dédié à sa gloire au sein d'un parc en terrasses de 9 ha *(p. 45 et 118).*

9 Sirmione, lac de Garde

Sur une étroite péninsule de la rive sud, un puissant château fort entièrement entouré d'eau garde l'élégante station balnéaire de Sirmione et en interdit l'accès aux voitures. Outre de nombreux hôtels et commerces, la ville renferme de jolies églises médiévales. Des ruines romaines se dressent à la pointe de la presqu'île *(p. 117 et 120).*

10 Giardino Botanico Hruska, lac de Garde

Arturo Hruska, dentiste suisse des têtes couronnées européennes au début du XXᵉ s., aménagea près du centre de Gardone di Sotto cet élégant jardin botanique réputé pour sa rocaille *(p. 45 et 118).*

Ruelle de la pittoresque station de Bellagio

Gauche **Palazzo Borromeo** Centre **Jardin de la villa Carlotta** Droite **Terrasse de la villa Monastero**

Villas et jardins

1 Palazzo Borromeo, lac Majeur
Le palais baroque édifié par les Borromées sur Isola Bella offre un aperçu sans équivalent du mode de vie de la plus riche des familles lombardes *(p. 22)*.

2 Villa Taranto, lac Majeur
La villa construite à Verbania *(p. 100)*, en 1875, par le capitaine écossais Neil MacEacharn est fermée au public. En revanche, le jardin planté d'espèces rares se visite. Admirez le plus grand nénuphar du monde, d'un diamètre de 2 m, et le métaséquoia, espèce que l'on croyait éteinte depuis 200 millions d'années avant d'en découvrir des exemples vivants en 1941. ✆ *Via Vittorio Veneto, Pallanza, Verbania • plan A2 • 0323-556-667 • www.villa taranto.it • ouv. t.l.j. 8h30-19h30 ; der. entrée 18h30 • fer. nov.-fin mars • EP.*

3 Villa Carlotta, lac de Côme
Pour la plupart, les célèbres villas du lac de Côme n'ouvrent que leurs jardins aux visiteurs. La villa Carlotta, de style baroque

Palazzo Borromeo et lac Majeur

Fontaine, villa Taranto

tardif, est l'une des rares de la région qui ouvre à la fois son parc, propice à la flânerie, et ses portes, permettant d'admirer la riche décoration intérieure *(p. 43 et 108)*.

4 Villa Serbelloni, lac de Côme
Le jardin s'étend sur toute la pointe de la péninsule de Bellagio. Les visites guidées organisées d'avril à octobre s'en tiennent principalement aux sentiers. Stendhal trouva enchanteur et sublime le point de vue au sommet du parc. C'est le seul endroit d'où les trois bras du lac sont visibles simultanément *(p. 108)*.

5 Villa Melzi, lac de Côme
La villa néoclassique bâtie en 1810 au sud de Bellagio pour Francesco Melzi d'Eril, le vice-président de la République cisalpine de Napoléon, ne se visite pas. Mais le jardin, où le compositeur Franz Liszt chercha l'inspiration lors d'un séjour en 1837, offre un cadre agréable à une promenade au bord du lac. Il abrite un petit musée *(p. 108)*.

6 Villa Monastero, lac de Côme

Selon la légende, la demeure aurait pour origine un couvent de cisterciennes fondé en 1208 et fermé au XVIe s. par Charles Borromée. Des rumeurs sur la conduite lascive des nonnes seraient responsables de la fermeture. Un centre de recherche l'occupe aujourd'hui. Palmiers, cyprès, et magnolias poussent dans le jardin ouvert au public (p. 108).

Entrée de la villa Cipressi

7 Villa Balbianello, lac de Côme

Cédée en 1988 au FAI (Fonds de l'environnement italien) par l'explorateur et magnat de la grande distribution Guido Monzino, cette villa de 1784 renferme un musée relatant ses aventures de l'Everest au pôle Nord. Cependant, elle doit surtout sa célébrité à son apparition dans *Star Wars : Episode II (p. 51 et 107).*

8 Villa Cipressi, lac de Côme

Vous rêvez de passer une nuit dans l'une des demeures du lac de Côme ? La villa Cipressi à l'élégant jardin en terrasses est aujourd'hui un hôtel (p. 109 et 113).

9 Il Vittoriale, lac de Garde

Plus qu'une résidence, Gabriele d'Annunzio créa ici un monument à sa gloire, et le résultat atteint les sommets du kitsch. Le parc renferme un théâtre de verdure, l'avant d'un cuirassé et le biplane avec lequel il survola Vienne en 1918 pour prouver qu'une invasion de l'Autriche était possible. Des visites guidées permettent de découvrir la villa, qui prit son aspect extérieur actuel entre 1923 et 1927. Ses vingt pièces ont une décoration surprenante (p. 118).

10 Giardino Botanico Hruska, lac de Garde

Le jardin créé par le dentiste et naturaliste suisse Arturo Hruska réussit à concentrer plus de 2 000 espèces végétales sur une superficie de 1 ha. Depuis 1989, il appartient à la Fondation André Heller, un artiste multimédia autrichien, qui le garde ouvert au public (p. 118).

Villa Balbianello

Gauche **Pavie** Droite **Vigevano**

Bourgs et villages

1 Sabbioneta
Vespasien Gonzague dessina lui-même les plans de cette ville, construite entre 1566 et 1591. Conforme aux idéaux d'ordre et d'harmonie de la Renaissance, elle renfermait un théâtre pour la cour du prince *(p.127).*

Crema

2 Crema
Cette petite ville coquette aux façades de marbre blanc et rose se développa sous l'autorité des Vénitiens (1454-1797). Elle possède un charmant Duomo entrepris en 1284. Le Museo Civico occupe un ancien couvent. ✪ *Plan E5 • information touristique : via dei Racchetti 8 • 0373-81-020 • www.acrema.it/Proloco*

3 Lodi
Fondée en 1158 par Frédéric Ier Barberousse *(p. 32),* Lodi a pour fleurons sa cathédrale romano-lombarde et l'église de l'Incoronata au magnifique décor intérieur Renaissance. ✪ *Plan D5 • information touristique : piazza Broletto 4 • 0371-421-391 • www.apt.lodi.it*

4 Pavie
Aujourd'hui intégrée à l'agglomération milanaise, l'ancienne capitale des rois lombards au haut Moyen Âge a conservé son centre historique et le ponte Coperto (xive s.) qui y mène. Ses monuments comprennent la splendide chartreuse *(p. 24-25)* et de belles églises, dont le Duomo auquel travaillèrent Bramante et Léonard de Vinci. Des sculptures romanes ornent San Pietro in Ciel d'Oro et San Michele. Le Castello Visconteo abrite des œuvres de Messina, le Corrège, Bellini, Luini et Tiepolo. ✪ *Plan C6 • information touristique : via Fabio Filzi 2 • 0382-22-156 • www.apt.pv.it.*

Ponte Coperto Renaissance, Pavie

Bormio

5 Vigevano
Ludovic le More *(p. 33)* naquit dans le château qui domine ce bourg de soieries et d'usines de chaussures. Bramante dessina la piazza Ducale. Le Duomo baroque date de 1680. ® *Plan B5 • www.vigevano.org.*

6 Castiglione Olona
Séduit par le style gothique international qu'il découvrit à Florence, le cardinal Branda Castiglioni (1350-1443) invita le peintre Masolino à venir travailler dans sa ville natale. Ce dernier y réalisa certaines de ses plus belles œuvres dans le palais du prélat et la chiesa della Collegiata. Deux hautes statues de saints encadrent l'entrée de la chiesa della Villa bâtie dans le style de Brunelleschi. ® *Plan B3 • information touristique : piazza Garibaldi 4 • 0331-858-048.*

7 Civate
La plus grande localité bordant le petit lac d'Annone était au Moyen Âge un lieu de pèlerinage grâce à son abbaye du VIIIe s. et aux clés du paradis (aujourd'hui disparues) qu'elle aurait contenues. Dans les collines se niche le sanctuaire roman de San Pietro al Monte *(p. 110).*

8 Chiavenna
Les *osterie* de ce chef-lieu d'une vallée alpine occupent souvent des *crotti*, des grottes servant jadis au mûrissement de la viande et du fromage. Une ancienne carrière, au-dessus de la ville, est devenue un jardin botanique, tandis que le Parco Marmitte dei Giganti renferme des marmites de géant (comme son nom l'indique) ainsi que des gravures préhistoriques. ® *Information touristiqua : via V Emanuele II 2 • 0343-36-384 • ww.valchiavenna.com.*

9 Villages du Val Calmonica
Capo di Ponte et Nadro di Ceto offrent les meilleurs points d'accès aux gravures rupestres de la vallée débouchant sur le lac d'Iseo *(p. 35).* ® *Information touristique : via S Briscoli 42, Capo di Ponte • 0364-42-080 • www.invallecamonica.it.*

10 Bormio
Cette station de villégiature de la Valtellina, vallée à la nature préservée, conserve un quartier médiéval et permet, toute l'année, de nombreux sports de montagne. ® *Information touristique : via Roma 131b • 0342-903-300.*

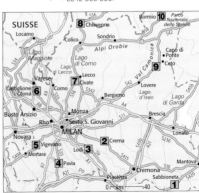

Gauche **Retable de Mantegna** Centre **Étude par Léonard de Vinci** Droite **Portrait par le Caravage**

🔟 Artistes en Lombardie

1 Andrea Mantegna (1431-1506)

Beau-frère du Vénitien Giovanni Bellini, qu'il influencera, Mantegna devint en 1460 le peintre de la cour des Gonzague, à Mantoue où il réalisera les célèbres fresques de la *Chambre des Époux* du palais ducal *(p. 28)*. À Milan, la Pinacoteca di Brera expose son *Christ mort (p. 12)* à la perspective audacieuse.

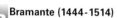

Autoportrait de Léonard de Vinci

2 Bramante (1444-1514)

Figure majeure de la haute Renaissance, Bramante introduisit en Lombardie l'architecture inspirée de l'Antiquité née à Florence. Après un long séjour à Milan, où travaillait aussi Léonard de Vinci, il répondit à l'appel du pape et dessina à Rome les premiers plans de la basilique Saint-Pierre.

3 Léonard de Vinci (1452-1519)

Le peintre et savant qui incarna le mieux l'idéal de l'homme de la Renaissance donna à ses tableaux de la profondeur et du mystère grâce à sa technique du *sfumato*. Il couvrait la toile d'une succession de couches translucides.

Ses inventions, dont l'hélicoptère et le bateau à aubes, étaient en avance de plusieurs siècles sur leur temps. Certaines ont été réalisées en maquettes d'après ses croquis au musée des Sciences et des Techniques de Milan *(p. 8-9, 40 et 93)*.

4 Bernardino Luini (1475-1532)

Ce peintre lombard très marqué par Léonard de Vinci travailla principalement à Milan, où il se distingua dans l'exécution de grandes fresques.

5 Il Bergognone (1480-1523)

Il Bergognone conjugua l'influence de la Renaissance et la tradition gothique lombarde. Ses compositions religieuses possèdent une solennité évoquant son prédécesseur milanais Vincenzo Foppa.

Autoportrait du futuriste Umberto Boccioni

6 Giulio Romano (1499-1546)

Le protégé de Raphaël travailla à l'achèvement des commandes de son maître après sa mort, mais développa sa technique architecturale à côté de ses talents de fresquiste. Pour les Gonzague, il éleva le Palazzo Tè *(p. 29)* et d'autres édifices de Mantoue. Sa santé défaillante l'empêcha de rentrer à Rome pour prendre la direction de la construction de la basilique Saint-Pierre.

7 Giuseppe Arcimboldo (1527-1593)

On doit aux surréalistes la redécouverte des portraits composés de fleurs, fruits, poissons, armes, et animaux de ce maniériste milanais.

8 Le Caravage (1571-1610)

Sa vie fut brève et tumultueuse, mais son œuvre marquée par de violents contrastes d'ombre et de lumière a profondément transformé la peinture européenne.

9 Francesco Hayez (1791-1882)

De père français, mais né à Venise, Francesco Hayez étudia à Rome, où il fréquenta Ingres et Canova, puis s'installa à Milan où il devint directeur de la Pinacoteca di Brera. Sa peinture s'inscrit dans la confrontation entre néoclassicisme et romantisme propre à son époque.

10 Umberto Boccioni (1882-1916)

Ses peintures et ses sculptures en firent une figure majeure du futurisme. Ce mouvement fasciné par la vitesse fit des emprunts au divisionnisme et au cubisme pour exprimer le mouvement.

Époques artistiques en Lombardie

1 Antiquité
Le Nord de l'Italie conserve des gravures rupestres de l'âge de pierre et quelques villas romaines.

2 Période lombarde
Les arcatures aveugles et les voûtes à nervures comptent parmi les traits caractéristiques des édifices lombards du Vᵉ au Xᵉ s.

3 Roman
L'architecture des XIᵉ et XIIᵉ s. se distingue par sa sobriété et ses sculptures expressives et naïves.

4 Gothique
Les voûtes en ogive et les contreforts permettent aux édifices de gagner en hauteur aux XIIIᵉ et XIVᵉ s.

5 Renaissance
En puisant aux sources de la Rome antique, artistes et architectes provoquent une véritable révolution esthétique aux XVᵉ et XVIᵉ s.

6 Baroque
Aux XVIIᵉ et XVIIIᵉ s., les artistes baroques recherchent en priorité la force d'expression.

7 Néoclassicisme
Un retour à la simplicité marque la période au tournant du XVIIIᵉ et du XIXᵉ s.

8 Romantisme
À partir de 1800 environ, les romantiques font primer la passion sur la raison.

9 Liberty
Au début du XXᵉ s., la déclinaison italienne de l'Art nouveau porte aussi le nom de Stile Florale.

10 Futuriste
Fondé en 1909, le mouvement futuriste exalte le dynamisme et la modernité.

Gauche *I Promessi Sposi* au cinéma Droite *La Notte* d'Antonioni

Livres et films en Lombardie

1 I Promessi Sposi (Les Fiancés)

Le roman d'Alessandro Manzoni (1785-1873) se déroule à Milan et au bord du lac de Côme. Il offre un aperçu de la vie en Lombardie au XVIIe s. pendant la domination espagnole. Traduit en de nombreuses langues, il est au programme des écoliers italiens.

Rock Hudson et Jennifer Jones dans le film *L'Adieu aux armes* (1957)

2 L'Adieu aux armes

Écrit en 1929, ce roman d'Ernest Hemingway sur la Première Guerre mondiale a pour héros un soldat américain combattant pour l'armée italienne. Blessé, il est soigné dans un hôpital de Milan. Après avoir déserté sans le vouloir, il retrouvera la femme qu'il aime à Stresa, sur le lac Majeur, et séjournera avec elle aux îles Borromées avant de rejoindre la Suisse en bateau.

3 Crépuscule en Italie

Lors de leurs pérégrinations en Europe, D.H. Lawrence et Frieda von Richthofen, sa future femme, choisirent les rives du lac de Garde comme premier lieu de villégiature, pendant l'hiver 1912-1913. L'auteur publia le récit de leur voyage en 1916.

4 Romance sur le lac

Vanessa Redgrave et Uma Thurman jouent dans ce film de John Irvin de 1995, tourné à la villa Balbianello *(p. 45)*. En 1937, un groupe de Britanniques compassés et d'Américains blasés perdent en partie leurs inhibitions sur les rives du lac de Côme.

5 Miracle à Milan

La fable de Vittorio de Sica reste fidèle au néo-réalisme malgré son sujet : une colombe miraculeuse exauce les vœux d'habitants très pauvres d'un bidonville de Milan. Le film qui provoqua une polémique en Italie remporta la Palme d'or du Festival de Cannes en 1951.

Miracle à Milan de Vittorio de Sica

6 Le Maître de Milan

Jacques Audiberti publia en 1950 ce roman où le gouverneur de la capitale lombarde tombe amoureux d'une jeune muette. Pour faire la connaissance de ses amis afin de mieux la comprendre, il se mêle au petit peuple qu'il gouverne.

7 La Notte

Dans le cadre d'une soirée mondaine à Milan en 1960, alors en plein essor industriel, le réalisateur Antonioni montre la fin de l'histoire d'amour entre un homme et une femme mariés depuis dix ans, et merveilleusement interprétés par Marcello Mastroianni et Jeanne Moreau.

8 Théorème

Le film de Pier Paolo Pasolini, où Terence Stamp séduit tous les membres d'une famille bourgeoise, fit scandale lors de sa présentation au Festival de Venise en 1968, car l'auteur y présentait la sexualité comme un moyen d'atteindre la révélation religieuse.

9 La Stratégie de l'araignée

Sorti en salles en 1969, le film de Bernardo Bertolucci, inscrit dans le cadre Renaissance de Sabbioneta, raconte les tourments psychologiques d'une famille que reviennent hanter les fantômes de l'époque fasciste.

10 « Star Wars » : épisode II

Dans l'*Attaque des clones* (2002), « cinquième épisode de la saga de *La Guerre des étoiles*, George Lucas ajoute à ses effets spéciaux la magie du lac de Côme où il passa des vacances. Encore une fois, l'élégante villa Balbianello *(p. 45)* sert de décor à des scènes romantiques.

Premières à la Scala

1 L'Europa Riconosciuta (1778)

La comédie dramatique de Salieri inaugura la salle le 3 août 1778.

2 La Pietra del Paragone (1812)

Avec cette œuvre de Rossini, la Scala passa de l'opéra comique et néoclassique au mélodrame romantique.

3 Chiara e Serafina (1822)

Le premier des nombreux opéras de Donizetti produits à la Scala.

4 Norma (1831)

Dans cette œuvre, Bellini traite d'un point de vue romantique un sujet de tragédie classique.

5 Nabucco (1842)

Verdi connut deux échecs cuisants avant de triompher avec cet opéra. Il devint ensuite le compositeur le plus joué à la Scala.

6 Mefistofele (1868)

Boito collabora ensuite à l'*Otello* (1887) et au *Falstaff* (1893) de Verdi.

7 Aïda (1872)

Verdi créa ce mélodrame égyptien après une longue absence de la Scala.

8 Madame Butterfly (1904)

Le récit, par Puccini, de l'histoire d'amour entre une geisha et un soldat américain.

9 Turandot (1926)

La dernière œuvre de Puccini fut présentée après sa mort en 1924.

10 The Rake's Progress (1951)

Sous la direction de Toscanini, la Scala commença à s'ouvrir aux création de musiciens étrangers comme Stravinski.

La Scala, opéra le plus prestigieux du monde **p. 74**

Gauche **Sagra del Carroccio** Droite **Festa dei Navigli**

🔟 Événements culturels

1 Carnaval

Le *carnevale* offre aux Milanais l'occasion de faire preuve d'élégance tout en se livrant à de folles réjouissances. Contrairement à tous les autres carnavals du monde, celui de Milan ne s'achève pas par le Mardi gras, mais le samedi suivant conformément à une décision de l'archevêque Ambroise. ◈ *Fév.-mars (finit le premier samedi de carême)*
• *information : 02-7252-4301.*

2 Modamilano

Le plus grand rendez-vous commercial de la capitale lombarde a lieu deux fois par an. Même si vous ne venez pas pour les défilés de mode, il affectera votre séjour : réservez votre chambre d'hôtel très longtemps à l'avance. ◈ *Env. 1 sem., déb. mars et déb. oct*
• *information : viale Sarca 223 • 02-643-3669 • www.momimodamilano.it.*

3 Sagra del Carroccio

Legnano, où la Ligue lombarde vainquit l'empereur Frédéric Ier Barberousse en 1176 *(p. 32)*, commémore cette victoire depuis plus de 800 ans. Après une parade costumée, une course de chevaux *(palio)* oppose les huit *contrade* (quartiers) de la ville. ◈ *Der. dim. de mai • information : Comitato Sagra del Carroccio • piazza S. Magno • 0331-471-258.*

Modamilano

4 Festa dei Navigli

Le quartier branché de Milan célèbre le début de l'été par une fête. Des artisans dressent leurs éventaires dans les rues où se produisent des musiciens. ◈ *Premier dim. de juin.*

5 Ferragosto

Traditionnellement, le 15 août, jour de l'Assomption, marque le début d'une période de vacances de deux semaines. Les stations balnéaires se remplissent et les villes se vident. À Milan, il n'y a pratiquement plus que les restaurants et les bars des Navigli qui sont ouverts. ◈ *15-31 août.*

6 Settimane Musicali, Stresa

La station de villégiature donnant accès aux îles Borromées *(p. 99)* propose un festival de musique de cinq semaines. Les concerts ont lieu en ville et sur les rives du lac Majeur. ◈ *Fin août-fin sept.*
• *information : via Carducci 38 • 0323-31-095 • www.settimanemusicali.net.*

7 Grand Prix, Monza

Le circuit automobile de Monza ne s'anime pas que pour la Formule 1 : il reste ouvert d'avril à octobre. ◈ *Grand Prix : 2e week-end de sept. • information : via Vedano 5 • 039-24-821.*

8 Triennale des instruments à cordes, Crémone

Tous les trois ans, la ville d'Amati et de Stradivarius célèbre les luthiers et les musiciens par plusieurs concours et une exposition *(p. 35 et 127)*. ❀ *Oct. • information : Ente Triennale degli Strumenti ad Arco, Corso Matteotti 17 • 0372-21-454 • www.entetriennale.com.*

9 « Oh Bej ! Oh Bej », Milan

Pour « la fête de saint Ambroise, le patron de Milan, un grand marché envahit les rues autour de la piazza Sant'Ambrogio. Il doit son nom aux enfants qui, en 1505, s'exclamèrent en dialecte « Qu'ils sont beaux ! Qu'ils sont beaux ! » devant les cadeaux apportés par le pape Pie IV. ❀ *5-8 déc.• information : piazza Sant'Ambrogio, Milan • 02-7252-4301.*

10 Saison d'opéra

La Scala *(p. 74)* est La Mecque des amateurs d'opéra, et une soirée dans ce temple de l'art lyrique ravira aussi bien les mélomanes que les simples amateurs. L'ouverture de la saison, le 7 décembre, à la Saint-Ambroise, fait partie des événements majeurs de la vie sociale milanaise. ❀ *Information : 02-7200-3744 • billets : 02-860-775 • www.teatroallascala.org.*

Marché Oh Bej ! Oh Bej !

Rencontres et activités sportives

1 Football
La Lombardie possède quatre équipes de première division, dont deux à Milan *(p. 62-63)* qui se partagent le stade San Siro *(p. 88)*.

2 Course automobile
Le circuit de Monza, l'un des meilleurs d'Europe, accueille le Grand Prix d'Italie en septembre *(p. 52)*.

3 Courses de chevaux
Milan possède un hippodrome *(p. 88)*.

4 Planche à voile
De nombreux véliplanchistes profitent des plans d'eau de la région. La pointe nord du lac de Garde est particulièrement réputée.

5 Bicyclette
Dévaler la vallée du Mincio, s'aventurer en VTT dans les collines, flâner au bord des lacs... Les cyclistes n'ont que l'embarras du choix.

6 Voile
Les lacs de Garde, de Côme et d'Iseo offrent les meilleures conditions à la navigation de plaisance.

7 Équitation
Un centre équestre propose des promenades à cheval aux alentours du lac Majeur *(p. 111)*.

8 Randonnée
Découvrez à pied les hauteurs dominant les lacs.

9 Golf
Les hôtels de luxe proches des lacs ont tous investi dans des parcours dessinés par des professionnels *(p. 111 et 121)*.

10 Ski
Les Alpes s'élèvent jusqu'à 3 000 m d'altitude dans le nord de la Lombardie.

 Pages suivantes : **Isola Bella du lac Majeur**

Gauche **Devanture de Versace** Centre **Via Montenapoleone** Droite **Via della Spiga**

🔟 Où faire du shopping à Milan

1 Via Manzoni

Ce large boulevard devint un des pôles de la mode milanaise quand Giorgio Armani y ouvrit en 2000 le grand magasin dédié à sa marque *(p. 77)*. L'éventail disponible va du prêt-à-porter de Davide Cenci (n° 7), réputé pour ses chemises, aux bijoux pleins de fraîcheur de Donatella Pellini (n° 20). ✎ *Plan M2-3.*

2 Galleria Vittorio Emanuele II

Cette splendide galerie marchande du XIXe s. *(p. 74)* offre un large choix, du plus grand chic (Prada) à la culture de masse avec la grande surface de livres et de CD Ricordi/Feltrinelli. Ne vous privez pas d'une halte au Caffè Zucca in Galleria dont le décor a gardé son cachet du début du XXe s. *(p. 80).* ✎ *Plan M3.*

Prada, via Montenapoleone

3 Corso Vittorio Emanuele II

Derrière la cathédrale, des arcades et certaines des enseignes les plus en vogue du centre de Milan bordent cette voie piétonne réaménagée. Les vitrines exposent une mode moderne et internationale destinée à une clientèle jeune qui vient faire son choix sur les pulsations de morceaux de musique techno. ✎ *Plan M4-N3.*

4 Via P Verri

Les hommes qui aiment s'habiller doivent arpenter cette rue où Zegna (n° 3, *p. 77)* propose des costumes remarquablement coupés et d'élégantes tenues de loisir. Sa ligne Z-Zegna séduira les trentenaires. À deux portes de là, au n° 1, une merveilleuse petite boutique vend des complets Canali. ✎ *Plan M-N3.*

Galleria Vittorio Emanuele II

5 Via Montenapoleone

Les sièges de stylistes comme Prada, Armani et Versace font de la via Montenapoleone, « Montenapo » pour les fidèles, l'un des grands pôles mondiaux de la mode. L'artère rivalise avec la rue du Faubourg-Saint-Honoré, Rodeo Drive

Via della Spiga

ou Fifth Avenue. Elle est aussi la principale rue du Quadrilatero d'Oro, le « quadrilatère d'or », où voisinent de grands noms du luxe, les meilleurs antiquaires et galeries d'art et quelques cafés chic. ✪ *Plan M2-N3.*

6 Via Borgospesso

Cette rue du Quadrilatero d'Oro est réputée pour ses galeries d'art et ses boutiques d'antiquités, depuis des laques vénitiennes à la Galleria Silva (n° 12) jusqu'à une sélection plus hétérogène chez Silbernagl (*p. 79*). ✪ *Plan M-N2.*

7 Via della Spiga

Voici quelques-unes des marques installées dans ce haut lieu du shopping : Dolce e Gabbana (2, 26), Bottega Veneta (5), Gherardini (8), Tiffany & Co. (19a), Gaultier (20), Krizia (23), Roberto Cavalli (42) et Sermoneta Gloves (46). ✪ *Plan N2.*

8 Corso Buenos Aires

Plus de 350 magasins bordent, sans ordre particulier, ce long boulevard. Le choix offert s'étend des chemises artisanales jusqu'aux disques pirates en

passant par la vaisselle émaillée à la main de Richard Ginori. ✪ *Plan P1.*

9 Via San Gregorio

Avec plus de 100 entrepôts et grossistes, les rues au sud de la Stazione Centrale, comme la via San Gregorio, la via Boscovich et la via C. Tenca, recèlent de bonnes affaires souvent ignorées des visiteurs.

10 Marchés

Particulièrement animée, la Fiera di Senigallia se tient le samedi sur le quai de la Darsena. Le dimanche, le marché aux puces entoure la station de métro San Donato. Des marchés locaux ont lieu via San Marco (lundi), via Benedetto Marcello, au nord-est des Giardini Pubblici (mardi), et viale Papiniano, aux Navigli (samedi). Ils finissent en général vers 13h, sauf le samedi. ✪ *Plans J-K6 (Darsena), M1 (via San Marco), J5 (viale Papiniano).*

➤ *Boutiques à Milan,* p. 77-79, 89 et 96

Gauche **Vitrine de librairie** Centre **Bijouterie, via della Spiga** Droite **Objets d'art**

🔟 Qu'acheter en Lombardie

1 Haute couture
Milan est la capitale italienne de la mode et tous les grands stylistes de Paris, New York ou Florence y ont une succursale. La ville abrite aussi des magasins proposant des articles à prix dégriffés, et des boutiques ouvertes par de jeunes créateurs.

2 Chaussures
La production italienne dans ce domaine est immense, du fonctionnel chic au clinquant. Milan offre un large choix de spécialistes, que l'on désire une œuvre d'art de Ferragamo *(p. 78)*, un produit de grande consommation ou de la haute qualité à prix bradés comme chez Rufus *(p. 89)*.

3 Sacs à main
Si vous n'avez pas les moyens de vous offrir les accessoires de mode de Prada et Bottega Veneta, ou même ceux de Coccinelle, un peu moins chers, sachez que des marques moins connues proposent des articles de cuir de qualité à des prix nettement plus accessibles.

4 Design
Les concepteurs italiens font depuis longtemps preuve d'un talent rare pour transformer bouilloires, lampes et presse-agrumes en œuvres d'art. Vous

Accessoires Prada

trouverez leurs œuvres souvent fantasques en vente partout dans le pays. Vous pouvez aussi aller puiser directement à la source au lac d'Orta, où la tradition artisanale locale a donné naissance, à la fin du XIXᵉ s., à des entreprises comme Alessi, Bialetti et Lagostina.

5 Linge de maison
Bien qu'élégantes, les créations de Bassetti et Frette restent abordables. Le drap et la nappe ont aussi leurs griffes de haute couture, dont Pratesi et, surtout, Jerusum, fournisseur de la famille royale au XIXᵉ s.

6 Soieries
La province de Côme est le grand centre italien de l'industrie de la soie, et les stylistes milanais viennent y chercher les fines étoffes dont ils drapent leurs mannequins. Il n'est toutefois pas nécessaire d'appartenir à la profession pour se les procurer dans les ateliers locaux et les nombreuses boutiques de Lombardie.

7 Art et antiquités
Les galeries de Milan offrent un riche choix de peintures byzantines et baroques, ainsi que des œuvres plus abordables comme des huiles du XIXᵉ s. Les

Les vitrines révèlent en Italie l'importance accordée par ses habitants à l'art du bien-vivre, ou dolce vita.

magasins d'*antichità* regorgent de meubles allant de la commode rustique au fauteuil vénitien du XVIIIe s.

8 Vin

La Lombardie produit d'excellents crus *(p. 67)*. La région des lacs borde en outre la Vénétie, réputée pour le valpolicella, le pinot grigio et le soave, et le Piémont, terre de rouges charpentés : le barolo, le barbera et le barbaresco.

9 Livres

Le catalogue d'un musée milanais, un recueil de photos des lacs, ou la traduction d'un classique italien comme *I Promessi Sposi (p. 50)* entretiendront le souvenir de votre séjour après votre retour.

10 Bijoux

La joaillerie n'est pas la première spécialité de Milan, mais vous apprécierez sans doute les créations audacieuses de Donatella Pellini ou le minimalisme avant-gardiste de Xenia. Gobbi 1842 séduira ceux qui ont des goûts plus classiques, à l'instar de Mario Buccellati dont les bijoux, l'argenterie et les objets d'art sont très réputés depuis 1919.

Verrerie ancienne, via Montenapoleone

Créateurs de mode à Milan

1 Armani

Les vêtements du grand prêtre de la haute couture italienne donnent presque à toutes les femmes un air de top-modèle, mais à quel prix !

2 Versace

Il confectionna les costumes de plusieurs créations de la Scala des années 1980.

3 Prada

Miuccia Prada, héritière d'une entreprise fondée en 1913, a apporté une dimension nouvelle au chic minimaliste et décontracté.

4 Mila Schön

Cette pionnière répandit l'usage du tissu réversible dans les années 1960.

5 Krizia

L'éclectique Mariuccia « Krizia » Mandelli se rit des tendances depuis 1954.

6 Ermenegildo Zegna

La société utilise les meilleurs cachemires, mohairs et mérinos, et se préoccupe de l'environnement.

7 Moschino

L'enfant terrible de la mode milanaise depuis 1983.

8 Missoni

Depuis 1953, le couple charme les connaisseurs avec ses tricots aux zigzags multicolores.

9 Trussardi

Trussardi fabrique d'indémodables accessoires en cuir depuis 1910.

10 Ferré

Les dernières lignes créées par le styliste s'adressent aux jeunes (Ferré Jeans) et aux personnes corpulentes (Ferré Forma).

Boutiques de mode à Milan **p. 77**

Gauche **Auditorium di Milano** Droite **Rolling Stone**

🔟 Salles de spectacle à Milan

1 La Scala
La réputation de l'opéra de Milan, qui accueillit les premières de certains des plus grands compositeurs, n'est plus à faire. La rénovation de ce théâtre du XVIIIᵉ s. vient de s'achever et les représentations n'ont donc plus lieu au Teatro degli Arcimboldi, qui avait été construit pour les accueillir pendant les travaux *(p. 74)*.

2 Scimmie
Depuis 1971, les concerts donnés au « Singes », mélange de bar, de restaurant et de club de jazz (on y joue aussi d'autres musiques), animent la vie nocturne des Navigli jusqu'au petit matin *(p. 96)*. En été, l'action déborde sur une péniche amarrée en face.

3 Auditorium di Milano
Depuis 1999, l'orchestre symphonique « Giuseppe Verdi » a pour siège un ancien cinéma des années 1930 qui resta à l'abandon pendant des dizaines d'années après la Seconde Guerre mondiale. Riccardo Chailly y dirige les concerts de fin septembre à mai. ✪ *Via S. Gottardo 42 • www.auditoriumdimilano. org • concerts : jeu.-ven. 20h30, dim. 16h ; musique de chambre : dim. 11h ; programme enfantin : sam. 15h30.*

4 C-Side
Cette boîte de nuit à la pointe du high-tech avec ses écrans vidéo, ses téléchargements Internet, ses concerts retransmis en direct et sa carte magnétique qui tient le compte des consommations (on paye en sortant) appartient à un groupe de footballeurs. La musique diffusée va de classiques des années 1960 et 1970 jusqu'au hip-hop et à la pop actuelle. ✪ *Via Castelbarco 11.*

5 Magazzini Generali
Cet ancien entrepôt abrite une salle de spectacle de 1 000 places qui peut se transformer en une immense discothèque. Il accueille aussi des expositions et des manifestations culturelles. ✪ *Via Pietrasanta 14.*

6 Plastic
Si vous considérez qu'une bonne boîte de nuit se

La Scala

Magazzini Generali

reconnaît à ses videurs et aux cordons de velours rouge qui tiennent les refoulés à distance, le Plastic est le lieu à la mode que vous cherchez. Techno, house et jungle dominent sur les platines. Le jeudi soir est officiellement la nuit gay et lesbienne. On peut aussi jouer au billard en écoutant des classiques de juke-box.
◈ *Viale Umbria 120.*

7 Rolling Stone
De Iron Maiden à Van Morrison, et de Nick Cave à Oasis, cet ancien cinéma à l'équipement ultramoderne propose les meilleurs concerts de rock de la ville. Il possède trois niveaux et donne également sa chance à des groupes et des espoirs locaux, quand il ne reçoit pas certains des DJ les plus réputés de Milan *(p. 96).*

8 Le Trottoir
Proche de la Brera, ce haut lieu de la bohème milanaise est aussi populaire qu'exigu. Une foule enthousiaste s'y presse pour assister aux concerts donnés sur la petite scène.

N'espérez pas obtenir une table, ni réussir à entendre la personne à côté de vous *(p. 90).*

9 Hollywood
Ouvert en 1986, le clinquant Hollywood a gardé l'aspect d'une discothèque classique des années 1980. Il n'en continue pas moins d'attirer l'élite des nuits milanaises. Nulle part dans la capitale lombarde, vous n'aurez de meilleure chance de repérer un véritable top-modèle international, alors habillez-vous pour impressionner *(p. 90).*

10 Tunnel
Le Tunnel occupe un entrepôt logé sous des arcades à l'arrière de la gare centrale (Stazione Centrale).
Il programme avec flair des groupes de rock alternatif et d'excellents DJ. C'est l'endroit où l'on peut découvrir les têtes d'affiche de demain *(p. 90).*

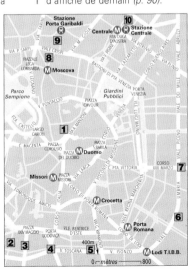

Gauche **En vélo à Mantoue** Droite **Parc de loisirs de Gardaland**

🔟 Avec des enfants

1 Duomo de Milan
Avec ses flèches dentelées, ses centaines de statues, ses gargouilles et ses arcs-boutants sous lesquels se glisser, le toit en terrasse de la cathédrale est un véritable territoire de conte de fées pour les enfants de 5 à 95 ans *(p. 10-11)*.

2 Le meilleur musée des Sciences d'Italie
Le Museo Nazionale della Scienza e delle Tecnica de Milan abrite, entre autres, des locomotives à vapeur, des maquettes de bateaux, des carrosses, des voitures et des motocyclettes anciennes et la passerelle d'un navire. Les modèles grandeur nature des inventions de Léonard de Vinci réalisés d'après ses croquis *(p. 40 et 93)* sont encore plus magiques.

3 Marionnettes
Des récits épiques siciliens opposant Sarrasins et chevaliers de Charlemagne aux farces de Pulcinella, un personnage napolitain, l'Italie possède une très ancienne tradition de la marionnette. Les créateurs Cosetta et Gianni Colla au Teatro delle Marionette de Milan savent adapter leurs histoires au jeune public d'aujourd'hui.
🔊 *Teatro delle Marionette, via Olivetani 3b, Milan• 02-469-4440 pour les horaires des spectacles.*

Gelato

4 Musée du Jouet
Le Museo del Giocattolo e del Bambino de Milan retrace l'histoire du jouet et de la poupée depuis le XVIIIe s. Les objets sont présentés dans des vitrines à bonne hauteur pour des enfants. Ceux-ci disposent aussi d'une petite salle de jeu.
🔊 *Via R. Pitteri 56, Milan ; www.museodelgiocattolo.it*
• *ouv. : mar.-dim. 9h30-12h30, 15h-18h* • *EP.*

5 Les glaces
Le *gelato* italien reste la référence mondiale de la crème glacée, et vous trouverez partout des établissements spécialisés où le déguster confortablement installés. Citons à Milan : Rachelli (via Hugo 4), Bastianello (via Borgogna 5) et Grasso (viale Doria 17). Les termes *produzione propria* indiquent que la glace est faite maison. Les puristes s'assureront qu'elle ne contient pas de colorant : une crème glacée à la banane ne doit pas être jaune, même si le gris paraît moins appétissant.

6 Football
Un match de *calcio* (football) dans le spectaculaire stade San Siro de Milan *(p. 88)* ravira les fans de tous âges, et le fait que la ville possède deux équipes de première division, l'Inter de Milan et l'AC Milan, augmente vos chances de tomber sur une bonne date. Elles possèdent

toutes les deux des sites Internet. Celui de la Lega-Calcio fournit le calendrier des rencontres. La Lombardie compte deux autres équipes de première division, à Côme et Brescia. La visite de l'Inter-Milan Museum (porte 4, San Siro) permet de découvrir le stade et les vestiaires. ✆ www.inter.it
• www.acmilan.com • www.lega-calcio.it.

7 Gardaland
Le plus grand parc de loisirs d'Italie, près du lac de Garde, n'a pas l'ampleur d'un Disneyland, mais il propose tout de même des montagnes russes et plusieurs attractions aquatiques (p. 117). Des enfants déjà grands pourront s'y amuser seuls une journée. • www.gardaland.it.

8 Planche à voile sur le lac de Garde
Le plan d'eau offre des conditions convenant à tous les niveaux d'expérience. Les véliplanchistes chevronnés bénéficieront d'un vent suffisant, tandis que l'absence de vagues (le plus souvent) facilitera les premières leçons des débutants.

9 Châteaux forts
Arpenter les chemins de ronde des châteaux de Lombardie comme les guetteurs d'antan permet un voyage dans

Planche à voile sur le lac de Garde

le passé. Il faut suivre une visite guidée pour accéder aux remparts du Castello Sforzesco de Milan (p. 16-17). Les forteresses dominant les lacs se révéleront probablement plus à même de nourrir une imagination enfantine. Les plus belles se trouvent à Varenna (p. 110) et, sur le lac de Garde, à Arco, Malcésine et Sirmione (p. 117).

10 Bicyclette à Mantoue
Pas de côte, en ville, et les rives du Mincio et de ses lacs à explorer : la bicyclette s'impose presque comme une évidence à Mantoue. Elle permettra à tous, petits et grands, de prendre l'air et de partager des plaisirs culturels plus physiques que ceux offerts par la visite des églises et des musées.

Rocca Scagliera de Sirmione, au bord du lac de Garde

Gauche **Cova, Milan** Centre **Caffè del Tasso, Bergame** Droite **I Portici del Comune, Crémone**

⑩ Cafés et bars à vin

1 Zucca (Caffè Miani), Milan

Inauguré en 1867, en même temps que la Galleria Vittorio Emanuele II *(p. 56)* qui l'abrite, Zucca eut pour fidèles clients Verdi, Toscanini et le roi Umberto Iᵉʳ (qui trouvait que son café était le meilleur de Milan). Situé à l'entrée de la galerie, il ménage une belle vue de la façade du Duomo *(p. 80)* et a conservé le décor en mosaïque Art nouveau que lui donna Angelo d'Andrea en 1915.

Caffè Zucca, Milan

survécut pas à la Seconde Guerre mondiale. Reconstruit en 1950, il fut déplacé peu après via Montenapoleone, au cœur du quartier du luxe. Ses pâtisseries, ses chocolats et ses sandwichs comptent parmi les meilleurs de la ville. On peut les déguster sur place dans un élégant petit salon de thé, cadre idéal à une pause au cours d'un après-midi de lèche-vitrines dans le « quadrilatère d'Or ». *(p. 80)*.

2 Cova, Milan

La famille Faccioli, qui en reste aujourd'hui propriétaire, ouvrit le Cova près de la Scala en 1817. L'établissement d'origine, où se retrouvaient hommes politiques, écrivains, peintres et journalistes, ne

3 Sant'Ambroeus, Milan

Les boiseries et les stucs roses de ce salon-de-thé-pâtisserie n'ont pas changé depuis 1936. Considéré comme l'un des temples du chocolat en Italie, le Sant'Ambroeus a pour spécialité les *ambrogiotti* fourrés au sabayon *(p. 80)*.

Cova, Milan

Pasticceria Marchesi, Milan

Corso Como 10, Milan
4 Carla Sozzani a créé en 1991 cet espace-concept qui réunit une galerie de photographies et de design, une librairie, une boutique de mode et un magasin de produits de luxe. Il comprend aussi un café-restaurant qui propose des *aperitivi* imaginatifs et donne l'occasion de se mêler à l'élite milanaise *(p. 89)*.

Caffè Letterario, Milan
5 Quand Teresa d'Ambrosio ouvrit son « café littéraire », elle avait en tête les établissements du XIXᵉ s. où des artistes discutaient au comptoir, des écrivains griffonnaient sur des coins de table, des professeurs commentaient les journaux et des idéalistes refaisaient le monde en chuchotant. Il semble bien que l'intelligentsia de la capitale lombarde ait mordu à l'hameçon. ✆ *Via Solferino 27.*

Bar Magenta, Milan
6 Croisement d'un café parisien Belle Époque et d'un pub irlandais, le Magenta offre un bon choix de plats *(p. 90)*.

Pasticceria Marchesi, Milan
7 Plus d'un visiteur venu admirer *La Cène* tombe sous le charme de ce salon de thé merveilleusement démodé. Le décor n'a pas changé depuis 1824, le café est excellent et Giorgio Armani a un faible pour ses pâtisseries *(p. 90)*.

Vineria Cozzi, Bergame
8 Ne laissez pas les décorations agitées de la vitrine et les chants d'oiseaux enregistrés vous décourager : vous ne trouverez pas mieux que le Cozzi, à Bergame, pour vous détendre en sirotant un verre de vin, ou reprendre des forces en vous restaurant de fromage, de viande fumée, de quiche ou de gâteau *(p. 128)*.

Caffè del Tasso, Bergame
9 Les Bergamasques, de la noblesse aux révoltés, se retrouvent au Tasso depuis plus de 500 ans. Garibaldi et ses chemises rouges le fréquentaient, et il fut un temps un tel foyer de contestation qu'un décret de 1845, affiché au mur, y interdit les conversations séditieuses. Les rébellions se limitent aujourd'hui à des grommellements sur le prix du cappuccino *(p. 128)*.

I Portici del Comune, Crémone
10 Les tables en extérieur, sous une haute arcade médiévale, offrent une vue panoramique de la façade du Duomo. Laissez-vous tenter par les *panini* et le *gelato*. Le café est bon, aussi *(p. 128)*.

Vineria Cozzi, Bergame

Gauche **Restaurant de Bellagio** Centre **Fromages régionaux** Droite **Tranches de** *polenta* **frite**

🔟 Cuisine lombarde

1 ***Cotoletta alla Milanese***
La spécialité de la capitale lombarde, une côtelette de veau panée, ne diffère guère de ce que les Autrichiens appellent *wienerschnitzel*.

2 ***Osso buco***
Du jarret de veau passé à la farine, puis à la poêle, mijote dans une sauce au vin blanc, aux oignons et à la tomate. Le nom signifie littéralement « os avec un trou » et déguster la moelle fait partie intégrante du plaisir. La *gremolata*, un mélange d'ail, de persil et de zeste de citron, relève agéablement la saveur de ce grand classique.

3 ***Polenta***
La semoule de maïs constitue la base de la cuisine montagnarde et rurale de l'Italie du Nord. Elle est cuisinée sous de nombreuses formes, depuis une pâte crémeuse jusqu'à des blocs suffisamment fermes pour être coupés en tranches à frire ou à gratiner.

4 ***Risotto alla Milanese***
Normalement, les restaurants italiens ne cuisinent pas le *risotto* à l'avance, et il faut compter une vingtaine de minutes de préparation. Il est parfois servi uniquement pour deux personnes. Dans la recette traditionnelle

Cotoletta alla milanese

milanaise entrent du bouillon de volaille, de la moelle de bœuf, de l'oignon, du safran et du fromage râpé. À Mantoue, le *risotto alla pilota* contient des saucisses.

5 ***Tortelli di Zucca***
Servies en entrée, arrosées de beurre et saupoudrées de parmesan, ces pâtes fourrées à la courge, à la moutarde et aux *amaretti* (des biscuits aux amandes) sont une spécialité de Mantoue.

6 ***Strangolapreti***
En Italie du Nord, les « étrangle-prêtres » sont des boulettes d'épinard et de *ricotta* accompagnées d'une sauce tomate, ou simplement de beurre et de parmesan. Dans le Sud, les *strangolapreti* sont des *gnocchi*.

7 ***Casoeûla***
La *polenta* qui l'acccompagne rend particulièrement consistant ce ragoût de porc, de saucisse,

Risotto **au poisson**

Casoeúla

de chou, d'herbes et d'écorces cuits au vin.

8 Poissons

De nombreuses recettes apprêtent les poissons pêchés dans les lacs et les rivières, dont la perche *(persico)*, le corégone *(coregone* ou *lavarello)*, la truite *(trota)*, le brochet *(luccio)* et la tanche *(tinca)*.

9 Fromages

Le fromage le plus célèbre de la région est le *gorgonzola*, un bleu dont la présentation n'est plus à faire. Le *taleggio*, une pâte molle affinée, et le *bel paese*, une tome à la texture crémeuse, possèdent une saveur plus douce. Le *grana padana* ressemble au parmesan. L'onctueux *marscarpone*, ou *mascherpone*, entre dans la préparation de desserts comme le *tiramisu*.

10 Panettone

L'identité de l'inventeur de ce délicieux gâteau milanais est inconnue, mais elle a donné lieu à plusieurs légendes. À l'origine préparé seulement pour Noël, le *panettone* doit sa saveur particulière au cédrat confit.

Panettone

Vins et spiritueux

1 Bardolino
Ce rouge léger et équilibré provient de la rive vénitienne du lac de Garde.

2 Valtellina
Les terrasses caillouteuses dominant le lac de Côme donnent des rouges puissants et charpentés dont les meilleurs peuvent vieillir huit ans.

3 Franciacorta
La région au sud du lac d'Iseo produit le seul mousseux italien en DOCG (dénomination d'origine contrôlée et garantie), ainsi que des rouges et des blancs de qualité.

4 Lambrusco
Bon marché, ce rouge fruité et pétillant s'accorde bien à la pizza.

5 Oltrepò Pavese
Les meilleurs crus de cette appellation sont à base de cépage barbera.

6 Rivera del Garda
Le brasciano rosso atteint toute son ampleur au bout de trois ou quatre ans.

7 San Martino della Battaglia
Sec, ce blanc à base de tokay se boit jeune. Il existe aussi un vin de dessert.

8 Lugana
Issu du cépage trebbiano, ce blanc équilibré du sud du lac de Garde compte parmi les meilleurs d'Italie.

9 San Colombano
Malgré sa vocation industrielle, la région de Milan conserve une appellation viticole.

10 Grappa
Le *digestivo* le plus répandu en Italie est distillé à partir de marc de raisin.

Gauche **Cracco-Peck** Centre **Poissons d'eau douce** Droite **Barchetta**

Restaurants

1 Cracco-Peck, Milan

La célèbre maison Peck a invité derrière les fourneaux de son restaurant, ouvert en 2000, Carlo Cracco. Ce jeune chef travailla un temps au restaurant d'Alain Ducasse à Monte-Carlo. Il interprète avec art des classiques comme le *risotto*, la *cotoletta alla milanese* et l'*osso buco* (p. 66-67). Si les prix vertigineux dépassent vos moyens, il vous suffit de tourner au coin de la rue pour trouver, au via Spadari 9, l'épicerie fine du restaurant. Elle renferme tout le nécessaire à un pique-nique mémorable *(p. 81)*.

2 Il Teatro del Four Seasons, Milan

La qualité des deux restaurants du plus récent des hôtels de luxe milanais a surpris un public pourtant gâté. Sergio Mei dirige le plus raffiné des deux, réputé pour ses mets méditerranéens imaginatifs. Nous vous recommandons particulièrement le menu « dégustation »*(p. 81)*.

3 La Milanese, Milan

La préparation des spécialités milanaises respecte ici la tradition à la lettre, et vous aurez du mal à trouver plus authentique. Le service est austère mais détendu. La carte privilégie la simplicité. Un *risotto*

Joia

e *osso buco* suffira à combler un appétit moyen *(p. 81)*.

4 Joia, Milan

Le chef suisse Pietro Leeman a vécu en Orient avant d'ouvrir le temple milanais de la gastronomie végétarienne. Et ses splendides créations à base de légumes de saison possèdent fréquemment une touche exotique. Une sélection de cidres et de bières biologiques complète la carte des vins *(p. 91)*.

5 Al Pont de Ferr, Milan

Au pied du pont de fer dont il a emprunté le nom, la carte de ce restaurant chaleureux du quartier des Navigli précise : « La bonne cuisine est l'amie de la belle vie et l'ennemie d'une existence pressée. » Cette sage réflexion mérite d'être méditée pendant que vous déjeunerez ou dînerez tranquillement *(p. 97)*.

6 Il Luogo di Aimo e Nadia, Milan

Des spécialités comme le *risotto* à la truffe et aux fleurs de courgette ont valu à Aimo et à Nadia Moroni d'être considérés comme les meilleurs cuisiniers de Milan. Leur fille entretient la tradition créative familiale et sa table justifie l'effort demandé pour gagner le restaurant *(p. 97)*.

7 Villa Fiordaliso, lac de Garde

Affilié à *Relais et Châteaux*, l'hôtel de style néoclassique et Liberty jouit d'une situation enchanteresse ; la terrasse ombragée du restaurant s'étend au bord du lac. Les mets internationaux et imaginatifs poussent parfois un peu loin le minimalisme *(p. 122)*.

8 Il Sole di Ranco, lac Majeur

La famille Brovelli tient depuis plus de 150 ans cette hôtellerie située dans le minuscule village au bord de l'eau de Ranco. La cuisine de haut niveau accorde une place privilégiée aux produits de la mer, et la carte des vins offre le choix entre plus de 1 200 crus, à découvrir, entre autres, avec un menu « dégustation » *(p. 102)*.

9 Barchetta, lac de Côme

Les restaurants de ville aussi touristiques que Bellagio proposent rarement une cuisine du niveau de celle du Barchetta. Les efforts du propriétaire, Armando Valli, et de son assistant, Davide Angelini, s'avèrent payants. La maison a

Entrée du Barchetta

pour spécialité la *sinfonia degli otto sapori del lago*, une « symphonie de huit poissons de lac ». Au dessert, essayez le *paradel*, une crème glacée au miel et aux raisins secs *(p. 112)*.

10 I Due Roccoli, lac d'Iseo

Située sur une colline au-dessus du lac, la terrasse carrelée permet, à la belle saison, de déjeuner face à un panorama de montagnes boisées. La cuisine tire parti d'ingrédients locaux, notamment des poissons du lac *(p. 129)*.

I Due Roccoli

Pages suivantes **Isola dei Pescatori du lac Majeur**

VISITER MILAN ET LA RÉGION DES LACS

MILAN ET LES LACS

Gauche **Vitrine de Dior** Centre **Pâtisserie Cova** Droite **Galleria Vittorio Emanuele II**

Le centre historique de Milan

Tombe de la
via Manzoni

Le centro storico *de la capitale lombarde occupe l'emplacement de l'ancienne colonie latine de Mediolanum, mais a perdu toute trace de son enceinte fortifiée. Il renferme la cathédrale gothique, l'opéra de la Scala, le Palais royal, des demeures historiques aux riches collections d'art et des voies piétonnières animées. Les adeptes du lèche-vitrines ne manqueront pas le Quadrilatero d'Oro formé par les quelques rues autour de la via Montenapoleone. C'est là que se concentrent les commerces les plus chic et les boutiques des grands noms de la mode internationale.*

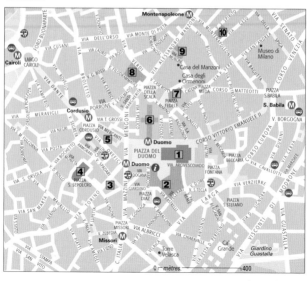

1 Duomo

L'ombre régnant dans la plus grande cathédrale gothique du monde, entre les fûts des dizaines de piliers qui soutiennent ses voûtes, a conduit l'auteur de récits de voyage H.V. Morton à comparer le Dôme de Milan à une forêt (p.10-11). ✎ Plan M4.

Le Duomo, « forêt » de Milan

2 Palazzo Reale

Construit au XVIIIᵉ s. sous l'égide de l'impératrice Marie-Thérèse d'Autriche, le Palais royal néoclassique abrite le Museo del Duomo (p. 11) et un musée d'Art contemporain (p. 41). Composée de deux hauts pavillons sur la piazza del Duomo, l'extension appelée Arengario a été édifiée entre 1939 et 1965. Sa vaste salle de bal accueille des expositions temporaires. ✎ Plan M4 • piazza del Duomo 12.

3 Santa Maria presso San Satiro

Sur un terrain à la superficie réduite, le brillant architecte de la haute Renaissance Bramante a joué de stucs et de fresques pour donner à cette petite église un chœur en trompe-l'œil. La chapelle de la Pietà conserve des chapiteaux du IXᵉ s. Elle doit son nom à un groupe en terre cuite peinte de 1483, œuvre de l'artiste lombard Agostino De' Fondutis (p. 38-39). ✎ Plan L4 • ouv. lun.-ven. 7h30-11h30 et 15h30-18h30, sam.-dim. 9h-12h, 15h30-19h • EG.

4 Pinacoteca Ambrosiana

Le fonds de la Pinacothèque ambrosienne a pour origine la collection de peintures réunie par le cardinal Frédéric Borromée. Elle comprend les œuvres d'artistes comme Léonard de Vinci, Titien et le Caravage, ainsi que le carton par Raphaël de la fresque de L'École d'Athènes (p.18-19). ✎ Plan L4.

Le Christ parmi les docteurs, Museo del Duomo, Palazzo Reale

5 Palazzo della Ragione

Bâti en 1233, l'ancien hôtel de ville, ou Broletto Vecchio, resta le siège de la municipalité jusqu'en 1770 (p. 36). ✎ Plan L4 • piazza Mercanti • ouv. lors d'expositions • EP.

Gauche **San Fedele** Droite **La Scala**

6 Galleria Vittorio Emanuele II

Cette galerie marchande inaugurée en 1877 relie les deux grands pôles du *centro storico* : le Duomo et la Scala. Ses deux allées dessinent une croix latine ayant pour centre une place octogonale décorée de peintures allégoriques et éclairée par une verrière de 47 m de hauteur *(p. 36 et 56 ; 77-80 pour les boutiques.)* ✆ *Plan M3.*

7 San Fedele

Le sanctuaire à nef unique construit en 1569 par l'architecte baroque Pellegrino Tibaldi pour l'ordre des Jésuites servit de modèle à de nombreuses autres églises bâties en Lombardie pendant la Contre-Réforme. La décoration intérieure maniériste comprend de belles peintures, dont une *Vision de saint Ignace*, par il Cerano, *Quatre Saints* par Bernardino Campi et une *Déposition* par Simone Peterzano. Le jésuite Daniele

Galleria Vittorio Emanuele II

La source de la chance

Le décor en mosaïque au centre de la Galleria Vittorio Emanuele II montre la croix blanche sur fond rouge de la maison royale de Savoie entourée des emblèmes de Rome (louve), Florence (lys), Milan (croix rouge sur fond blanc) et Turin. Selon les Milanais, tourner en rond avec le talon posé sur les testicules du taureau turinois porte chance.

Ferrari sculpta au XVIIe s. la chaire et les splendides placards de la sacristie. ✆ *Plan M3 • piazza S Fedele/via T Marino • ouv. t.l.j. 7h30-14h30 et 16h-19h • EG.*

8 La Scala

Bâti dans le style néoclassique entre 1766 et 1778, le plus prestigieux théâtre lyrique du monde vient d'être rénové. Quatre étages de loges et deux galeries donnent à la salle une capacité de 2 800 places. Elle se distingue par la qualité de son acoustique et a accueilli les premières de nombreux opéras devenus des classiques *(p. 51)*. Ravagée par les bombardements en 1943, elle rouvrit trois ans plus tard pour une soirée de gala dirigée par Arturo Toscanini. *(p. 41, 88 et 90)*. ✆ *Plan M3 • piazza della Scala • www.teatroallascala.org.*

9 Museo Poldi Pezzoli

La splendide collection léguée à la ville en 1879 par Gian Giacomo Poldi Pezzoli n'a pas quitté le palais néoclassique remanié dans le style néogothique qu'il lui avait donné comme écrin. Elle est particulièrement réputée pour ses peintures lombardes de la seconde moitié du XVᵉ s., mais inclut aussi, entre autres, des paysages par Canaletto et Guardi, et un très rare tapis persan de 1542-1543 (p. 40).
🔹 Plan M3 • via Manzoni 12 • ouv. mar.-dim. 10h-18h • EP.

10 Museo Bagatti Valsecchi

Les frères Fausto et Giuseppe Bagatti Valsecchi inaugurèrent en 1883 la nouvelle façade de leur palais néo-Renaissance. Typique du goût des esthètes de la période romantique, la demeure intègre harmonieusement des éléments de remploi d'origines variées. Elle abrite les centaines d'objets d'art des XVᵉ et XVIᵉ s. réunis par ses propriétaires pour la décorer, dont un riche mobilier et quelques remarquables tableaux.
🔹 Plan N3 • via S. Spirito 10/via Gesù 5 • ouv. mar.-dim. 13h-17h45 • EP 6 €.

Museo Poldi Pezzoli

Un jour dans le centre

(Le matin)

🕐 Commencez à 10h par la magnifique collection de la **Pinacoteca Ambrosiana**.

Dirigez-vous au sud vers la via Torino et le joyau qu'est l'église **Santa Maria presso San Satiro** (p. 73), puis remontez vers le nord la via Torino pour rejoindre la piazza du Duomo, pôle de la vie sociale de Milan.

Restez sur le côté ouest de la place pour aller contempler, dans la via Mercanti, le **Palazzo della Ragione** médiéval. Revenez sur vos pas pour visiter l'immense **Duomo** gothique (p. 10-11). Ne manquez pas le toit en terrasse.

🍴 **Zucca** (p.80), à l'entrée de la **Galleria Vittorio Emanuele II**, offre un cadre historique où se restaurer d'une assiette de fromage et de charcuterie.

(L'après-midi)

Sortez de la galerie sur la piazza della Scala, bordée par le célèbre opéra et le **Palazzo Marino** (p. 76) derrière lequel se dresse l'église **San Fedele**. Marchez ensuite au nord-est en longeant la **Casa degli Omenoni** (p. 76).

Prenez à gauche pour visiter le fascinant **Museo Poldi Pezzoli**, puis continuez au nord sur la via Manzoni pour rejoindre la rue marchande la plus réputée de Milan : la **via Montenapoleone** (p. 57).

Le quartier se prête à des heures de lèche-vitrines, mais il abrite aussi le **Museo Bagatti Valsecchi**. Une pause au café **Cova** (p. 80) s'impose.

Gauche **Piazza della Scala** Centre **Casa degli Omenoni** Droite **Casa del Manzoni**

🔟 Autres visites

1 Ca'Granda
Cet ancien hôpital dont la construction s'étendit sur quatre siècles fait désormais partie de l'université *(p. 36)*. 🔊 Plan M4-5 • via Festa del Perdono 5 • ouv. lun.-ven. 7h30-19h30, sam. 8h-11h30 • EG.

2 San Nazaro Maggiore
L'église romane a pour origine une basilique fondée par saint Ambroise. Elle abrite un *Martyre de sainte Catherine d'Alexandrie* par Lanino. Entre 1512 et 1547, Bramantino ajouta la Cappella Trivulzio, à l'entrée. 🔊 Plan M5 • piazza S. Nazzaro • ouv. lun.-sam. 7h30-12h et 15h30-18h30, dim. 7h30-13h15, 15h30-19h15 • EG.

3 Torre Velasca
Ce gratte-ciel des années 1950 évoque une tour médiévale *(p. 36)*. 🔊 Plan M5 • piazza Velasca 5 • ferm. au public.

4 San Gottardo in Corte
Cette ancienne chapelle ducale date de 1366. 🔊 Plan M4 • via Pecorari 2 • ouv. t.l.j. 8h-12h et 14-18h • EG.

5 San Sepolcro
Cette église à la crypte romane se dresse sur le site du forum romain. 🔊 Plan L4 • piazza S. Sepolcro • ouv. lun.-ven. 12-14h • EG.

6 Palazzo Marino
L'hôtel de ville de Milan occupe un palais entrepris en 1553 *(p. 37)*. 🔊 Plan M3 • piazza della Scala/piazza S. Fedele • ferm. au public.

7 Casa degli Omenoni
Un tour de style Liberty flanque l'étonnante façade de la maison du sculpteur du XVIe s. Leone Leoni *(p. 37)*. 🔊 Plan M3 • via Omenoni 3 • ferm. au public.

8 Casa del Manzoni
La demeure du plus grand écrivain italien du XIXe s. *(p. 50)*, vaste palais néoclassique, est devenue un musée à sa mémoire. 🔊 Plan M3 • via Morone 1 • 02-8646-0403 • ouv. mar.-ven. 9h-12h et 14h-16h • EG.

9 Palazzi de la via Manzoni
L'artère entre la Scala et la porta Nuova conserve de belles demeures bourgeoises des XVIIIe et XIXe s. : Brentani (n° 6), Anguissola (12), Poldi Pezzoli *(p. 74-75)*, Gallarati Scotti (30) et Borromeo d'Adda (39-41). 🔊 Plan M3-N2 • via Manzoni • ferm. au public.

🔟 Museo di Milano
Il retrace l'histoire de la ville dans l'ancienne résidence de Bolognini. 🔊 Plan N3 • via San Andrea 6 • ouv. mar.-dim. 9h-17h30 • EG.

Gauche **Prada** Centre **Gianni Versace** Droite **Gianfranco Ferré**

🔟 Boutiques de mode milanaises

1 Prada
La transformation de cette entreprise de maroquinerie en référence de la mode de grand luxe se produisit dans les années 1990. 🗺 *Plan M3 • Galleria Vittorio Emanuele II et via Montenapoleone 8.*

2 Gianni Versace
Sur cinq niveaux principalement consacrés aux hommes, Versace réussit toujours à créer la surprise. 🗺 *Plan N3 • via Montenapoleone 11 (griffe Versus, meilleur marché, via San Pietro all'Orto).*

3 Trussardi
Maison fondée il y a 90 ans à Bergame, Trussardi ne se cantonne plus à la fabrication de gants, mais a investi tous les domaines de la mode. 🗺 *Plan N3 • via Sant'Andrea 5.*

4 Moschino
La société créée par un iconoclaste décédé en 1994 s'est assagie depuis sa première collection en 1983. 🗺 *Plan N3 • via Sant'Andrea 12 et via Durini 14.*

5 Gianfranco Ferré
L'ancien architecte conçoit chacun de ses vêtements dans le but d'accentuer la beauté naturelle de la personne qui le porte. 🗺 *Plan N3 • via Sant'Andrea 15 (femmes) ; corso Venezia 6 (hommes).*

6 Missoni
Avec leurs tricots colorés, Ottavio et Rosita Missoni suivent une démarche à l'opposé de la mode minimaliste privilégiant le noir. 🗺 *Plan N3 • angle de la via Sant'Andrea et de la via Bagutta.*

7 Ermenegildo Zegna
Cette grande marque de prêt-à-porter masculin existe depuis quatre générations. Ses tenues décontractées bénéficient du même soin minutieux que ses costumes élégants. 🗺 *Plan N3 • via P. Verri 3.*

8 Krizia
Krizia aime prendre les tendances à contre-pied, jouant de la couleur quand le noir fait fureur, ou dénudant les jambes quand les jupes rallongent. 🗺 *Plan N2 • via della Spiga 23.*

9 Giorgio Armani
Armani a ouvert le premier grand magasin dédié à une seule marque. 🗺 *Plan M2 • via Manzoni 31.*

10 Mila Schön
Mila Schön a dessiné des uniformes pour Alitalia et les tenues de footballeurs milanais. 🗺 *Plan M2 • via Manzoni 45.*

➡ *Créateurs de mode à Milan* **p. 59**

77

Gauche **Ferragamo** Droite **Dolce e Gabbana**

🔟 Autres boutiques de stylistes

1 Max Mara
Après plus de 50 ans d'existence, la famille Maramotti propose un prêt-à-porter féminin toujours aussi dynamique.
🔞 *Plan N3* • *corso Vittorio Emanuele II.*

2 Alessi
Alessi fabrique en Lombardie des articles ménagers dessinés par les plus grands noms de la création industrielle.
🔞 *Plan N3* • *corso Matteotti 9.*

3 Ferragamo
Le bottier florentin Salvatore Ferragamo éleva la fabrication de la chaussure au rang d'art en travaillant pour Greta Garbo et Sophia Loren. Il propose aussi une ligne de vêtements. 🔞 *Plan N3* • *via Montenapoleone 3 (femmes) et 20 (hommes).*

4 Mario Buccellati
Depuis 1919, la boutique n'a jamais créé deux bijoux identiques. 🔞 *Plan N3* • *via Montenapoleone 4.*

5 Etro
Les créations de Gimmo Etro reflètent son goût pour les voyages et l'histoire. 🔞 *Plan N3* • *via Montenapoleone 5 (annexe meilleur marché via Spartaco 3).*

6 Valentino
Valentino est devenu une référence du chic, au point que le Metropolitan Museum de New York lui consacra une exposition.
🔞 *Plan N3* • *via Montenapoleone 20.*

7 Frette
Les tentures, les pyjamas, les draps et les peignoirs de bain de ce spécialiste du linge de maison comptent parmi les plus raffinés d'Italie. 🔞 *Plan N3* • *via Montenapoleone 21.*

8 Gucci
Les articles de maroquinerie de cette marque créée par un sellier florentin ne portent plus le célèbre monogramme GG, mais la qualité est restée identique.
🔞 *Plan N3* • *via Montenapoleone 27.*

9 Laura Biagiotti
Depuis 1972, les créations de la « reine du cachemire » offrent le plus grand confort sans sacrifier l'élégance. La ligne *Più* s'adresse aux femmes rondes.
🔞 *Plan M2* • *via Borgospesso 19.*

10 Dolce e Gabbana
Les deux succursales de la marque proposent l'ensemble d'une gamme adulte jouant sur la provocation malgré son chic et sa qualité. 🔞 *Plan N2* • *via della Spiga 2 (femmes) et 26 (hommes).*

Gauche et centre **Città del Sole** Droite **The American Bookstore**

TOP 10 Autres boutiques de luxe

1 Franco Maria Ricci
Ce prestigieux petit éditeur milanais publie les ouvrages d'art les plus raffinés et les plus onéreux du marché. ✆ Plan N4
• via Durini 19.

2 Cravatterie Nazionali
Comme le nom du magasin l'indique, vous trouverez ici une large sélection de cravates de stylistes italiens. ✆ Plan N3
• via San Pietro all'Orto 17.

3 Mortarotti
Fatiguée de changer de boutique ? Faites ici votre choix parmi une douzaine de marques de prêt-à-porter féminin, dont Ferré, Missoni, Roberto Cavalli, Allegri et Eva Branca. ✆ Plan N3
• via Montenapoleone 24.

4 Dmagazine
Au cœur du quartier de la haute couture, Dmagazine vend à prix réduit des articles dégriffés : écharpes Fendi, pantalons Armani, pulls Prada ou costumes Helmut Lang. Les éventaires changent constamment. ✆ Plan N3
• via Montenapoleone 26.

5 Silbernagl
La galerie d'exposition de ce grand antiquaire renferme une sélection éclectique de meubles, de porcelaines et de peintures des XIXe et XXe s., entre autres objets destinés à une clientèle très aisée. ✆ Plan M2
• via Borgospesso 4.

6 Ricordi
La succursale milanaise de la plus grande chaîne italienne de vente de CD occupe un local en sous-sol. ✆ Plan M3 • Galleria Vittorio Emanuele II.

7 Libreria Internazionale Accademia
La meilleure adresse où trouver des ouvrages d'art à prix démarqués vend aussi, à l'étage, des livres étrangers d'occasion. ✆ Plan M3 • Galleria Vittorio Emanuele II.

8 Città del Sole
La « cité du soleil » propose une très riche gamme de jouets. ✆ Plan L4 • via Orefici 13.

9 Gastronomia Peck
La référence milanaise en matière d'épicerie fine possède trois niveaux. Elle a ouvert un restaurant gastronomique (p. 81). ✆ Plan L4 • via Spadari 9.

10 The American Bookstore
Le centre-ville abrite une grande librairie anglo-saxonne. ✆ Plan L3 • via Camperio 16.

Achats à Milan voir aussi p. 56-59

Gauche | **I Panini della Befi** Centre **Cova** Droite **Caffè Martini**

🔟 Cafés et vie nocturne

1 Zucca in Galleria (Caffè Miani)
Ce splendide café ancien donne vue de la cathédrale (p. 64). 🗺 Plan M3 • Galleria Vittorio Emanuele II, piazza Duomo 21 • www.caffemiani.it • €.

2 Caffè Martini
L'établissement pratique des tarifs excessifs, mais il offre un excellent poste d'observation du Duomo et de la foule, en particulier lors de processions et de manifestations. 🗺 Plan L3 • via dei Mercanti 21 • €.

3 La Banque
Apprécié des hommes d'affaires à midi, ce restaurant devient à partir de 23h l'une des rares boîtes de nuit du centre de Milan. Soignez votre tenue.
🗺 Plan L3 • via Porrone 6 • 02-8699-6565 • www.labanqueweb.com.

4 La Scala
Après une longue restauration, les mélomanes ont enfin pu retrouver la salle néoclassique à l'acoustique parfaite (p. 74). 🗺 Plan M3 • piazza della Scala • www.teatrodellascala.org.

5 Nepentha
À quelques pâtés de maisons au sud du Duomo, cette discothèque chic permet aussi de dîner. 🗺 Plan M4 • piazza Diaz 1.

6 I Panini della Befi
De splendides sandwiches et un café acceptable justifient le succès, à midi, de cet établissement aux tables dressées dans une rue piétonne.
🗺 Plan N4 • via Beccaria 4 • €.

7 Sant'Ambroseus
Ce salon de thé historique fabrique des chocolats parmi les meilleurs d'Italie (p. 64). 🗺 Plan N3 • corso Matteotti 7 • €.

8 Cova
Cette institution fondée en 1817 sert un café et des gâteaux excelllents au cœur du quartier du luxe (p. 64). 🗺 Plan N3 • via Montenapoleone 8 • €.

9 Ice Nice
Snacks et sushis, café et cocktails, dans le Quadrelatero di Oro. 🗺 Plan M2 • via Borgospesso • €.

10 Conservatorio Giuseppe Verdi
L'orchestre philharmonique donne des concerts gratuits dans l'auditorium du conservatoire de Milan installé dans un ancien monastère. 🗺 Plan P3 • via del Conservatorio 12 ; www.conservatorio-milano.com • EG.

Autres salles de spectacle à Milan p. 60-61

Catégories de p

Pour un repas avec e
plat, dessert et une
bouteille de vin (ou
équivalent), taxes e
service compris.

Gauche **Luini** Droite **Enseigne de Cracco-Peck**

TOP10 Restaurants

1 Trattoria da Pino
Le bar donne sur la rue, la salle à manger se trouve derrière. On s'y restaure de plats simples et traditionnels sur des sets de table en papier : la Trattoria da Pino appartient à une espèce en voie de disparition. ✆ *Plan N4 • via Cerva 14 • 02-7600-0532 • ferm. dim. • pas de carte de paiement • €.*

2 Il Teatro del Four Seasons
Le meilleur des deux restaurants du Four Seasons se trouve dans le sous-sol de l'hôtel (p. 68). ✆ *Plan N3 • via Gesù 8 • 02-77-088 • www.fourseasons.com/ milan/index.html • €€€€€.*

3 Don Lisander ◄—
Le cadre raffiné s'accorde aux mets régionaux, toscans et français. ✆ *Plan M2 • via Manzoni 12a • 02-7602-0130 • ferm. dim. • €€€€€.*

4 Boeucc ◄—
Banquiers et cadres de la mode apprécient le décor du *palazzo* du XVIIIᵉ s. et la cuisine milanaise. ✆ *Plan M3 • piazza Belgioioso 2 • 02-7602-0224 • ferm. sam. et dim. midi • €€€€€.*

5 Al Cantinone
Des spécialités lombardes et toscanes voisinent sur la carte. ✆ *Plan M3 • via Agnello 19 • 02-864-1338 • ferm. sam. midi et dim. • €€.*

6 Luini
Luini n'a beau servir que des *panzerotti* (des poches de pâte fourrée), il se forme toujours de longues queues d'amateurs. ✆ *Plan M3 • v S Radegonda 16 • 02-8646-1917 • ferm. lun. • pas de carte de paiement • €.*

7 La Banque ◄—
Cette ancienne banque à la rotonde néoclassique abrite un restaurant aux prix raisonnables et une boîte de nuit. ✆ *Plan L3 • via Porrone 6 • 02-8699-6565 • €€€€.*

8 Cracco-Peck
Rien ne manque au luxe de ce restaurant, ni le portier en livrée, ni les prix astronomiques (p. 68). ✆ *Plan L4 • via Victor Hugo 4 • 02-867-774 • ferm. dim. • €€€€€.*

9 La Milanese ◄—
La même famille propose depuis 70 ans les classiques locaux les plus authentiques (p. 68). ✆ *Plan L4 • via Santa Marta 11 • 02-8645-1991 • fer. mar. • €€€.*

10 Hostaria Borromei
La carte évolue en fonction des ingrédients de saison. ✆ *Plan L4 • via Borromei 4 • 02-8645-3760 • ferm. sam. midi, dim. • €€€.*

Remarque : sauf indication contraire, tous les restaurants acceptent les cartes de paiement et proposent des plats végétariens.

Gauche et centre **Galleria d'Arte Moderna** Droite **Restaurant Brek**

Nord de Milan

ette partie de la ville possède pour principaux
centres d'intérêt la célèbre fresque de La Cène
par Léonard de Vinci, de beaux espaces verts et de
grands musées. Trois d'entre eux illustrent l'évolution
de l'art depuis le Moyen Âge (Castello Sforzesco)
jusqu'à l'époque moderne (Villa Reale), en
passant par la Renaissance (Pinacoteca di Brera).
Deux autres, le Museo Archeologico et le Museo
del Risorgimento, éclairent l'histoire de la
Lombardie pendant l'Antiquité et au XIXᵉ s. Des
entrepôts et grossistes bordant les rues situées au
sud de la gare centrale jusqu'aux commerces
variés du corso Buenos Aires, le quartier offre
également d'intéressantes
opportunités aux amateurs et
amatrices de shopping.

Les sites

1. Santa Maria delle Grazie
2. Civico Museo Archeologico
3. Castello Sforzesco
4. Parco Sempione
5. San Simpliciano
6. San Marco
7. Pinacoteca di Brera
8. Villa Reale/Galleria d'Arte Moderna
9. Cimitero Monumentale
10. Certosa di Garegnano

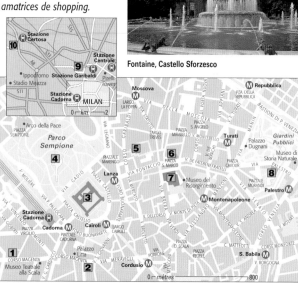

Fontaine, Castello Sforzesco

Santa Maria delle Grazie

1 Santa Maria delle Grazie

Il faut réserver pour admirer le chef-d'œuvre dont Léonard de Vinci décora le réfectoire de l'ancien monastère *(p. 8-9)*. L'église possède une tribune à coupole soutenue par quatre grands arcs qui compte parmi les chefs-d'œuvre de Bramante, le maître italien de la haute Renaissance *(p. 38)*. *Piazza S. Maria delle Grazie • plan J3 • église ouv. lun.-sam. 6h50-12h et 15h-19h, dim. 7h20-12h15 et 15h30-21h • EG • réfectoire p. 8.*

2 Civico Museo Archeologico

Le musée occupe l'ancien Monastero Maggiore. À l'entrée du cloître du xve s. se dresse une grande pierre provenant du Val Camonica *(p. 47)*. Ses gravures datent du IIIe millénaire av. J.-C. Dans le jardin subsistent deux tours et un fragment de rempart remontant à l'époque romaine. Outre la *copa diatreta Trivulzio (p. 41)*, la collection compte parmi ses fleurons un plateau en argent du milieu du IVe s. dont le décor représente les divinités de la Terre, du Ciel, de l'Eau et du Zodiaque, témoignage de l'emprise encore exercée par le paganisme à l'époque où s'imposait le christianisme. *corso Magenta 15 • plan K3 • ouv. mar.-dim. 9h-17h30 • EG.*

3 Castello Sforzesco

Au nord-ouest du centre historique, l'ancien palais ducal à l'aspect de forteresse reste protégé par son fossé. Les bâtiments abritent des musées autour d'immenses cours dominées par des tours élancées *(p.16-17)*. *Plan K2.*

4 Parco Sempione

Cet ancien jardin ducal prit son aspect actuel à la fin du XIXe s. *(p. 17)*. Un petit aquarium occupe un gracieux édifice Liberty de 1906. L'espace vert renferme aussi des fontaines (dont une par Giorgio de Chirico), des salles d'exposition, un amphithéâtre de 30 000 places et l'Arco della Pace *(p. 88)*. *Piazza Sempione • plan K2 • parc ouv. t.l.j. 6h30-1h après le coucher du soleil • aquarium ouv. mar.-dim 9h30-17h30 • EG.*

Castello Sforzesco

Les martyrs cappadociens

Les premiers évangélisateurs des vallées alpines du Trentin furent trois ascètes byzantins envoyés à Vigile, l'évêque de Trente, par saint Ambroise : Sisinio, Martirio et Alexandre. Les habitants de la région d'Anaunia les massacrèrent en 397. Leur martyre occupe une place particulière dans l'histoire de l'Église, car il eut lieu à une époque de paix.

5 San Simpliciano

La foi populaire a consacré aux martyrs cappadociens *(voir encadré)* l'une des quatre basiliques fondées par Ambroise. Les murs extérieurs remontent pour une grande part au bâtiment d'origine achevé en 401. L'intérieur fut remanié dans le style roman aux XIᵉ et XIIᵉ s. Il Bergognone peignit en 1515, dans l'abside, la fresque du *Couronnement de la Vierge.* ⊗ *Piazza S. Simpliciano 7 • plan L2 • ouv. lun.-sam. 9h30-11h30h et 15h-18h, dim. 16h-19h • EG.*

6 San Marco

De l'église originelle, achevée en 1254 et dédiée au saint patron de Venise en remerciement de l'aide de la Sérénissime

République dans la lutte contre l'empereur Frédéric Barberousse, ne subsistent que le portail principal, trois saints dans des niches de la façade et le couronnement du clocher droit. Le décor intérieur baroque date de 1690. Au cours des années 1950, des fresques du XIIIᵉ s. ont été découvertes dans le transept droit. ⊗ *Piazza S. Marco 2 • plan M2 • ouv. t.l.j. 7h30-13h et 16h-19h15 • EG.*

7 Pinacoteca di Brera

La deuxième collection de peintures d'Italie du Nord, après celle de l'Accademia de Venise,

San Marco

occupe un palais construit pour les jésuites en 1627. Napoléon ouvrit le musée au public en 1809, et une effigie sculptée par Canova le représente en héros victorieux dans la cour. Les pages 12-15 offrent un aperçu de la richesse de l'exposition. ⊗ *Plan M2.*

8 Villa Reale/Galleria d'Arte Moderna

Construite en 1790, la « Villa royale » néoclassique servit de résidence à Napoléon en 1803, puis au maréchal Radetzky jusqu'en 1858. Cédée à la ville en 1920, elle abrite le Musée municipal d'art moderne. Sa collection permanente comprend des œuvres d'importants représentants du néoclassicisme, du romantisme, du réalisme social, du divisionnisme, du futurisme et de l'impressionnisme. Une aile entière est consacrée à la

Pinacoteca di Brera

donation faite par la veuve du sculpteur Marino Marini (1901-1980). ⬧ *Via Palestro 16 • plan N2 • ouv. mar.-dim. 9h-17h30 • EG.*

9 Cimitero Monumentale
Ce vaste cimetière aménagé au milieu du XIXe s. est devenu un lieu de visite très apprécié pour ses imposants monuments funéraires, tel celui d'Alessandro Manzoni *(p. 50)*. Des artistes réputés ont exécuté les sculptures de styles variés qui ornent les tombes. Un plan gratuit indique où reposent des célébrités comme Arturo Toscanini et Maria Callas. Un mémorial rend hommage aux juifs déportés pendant la dernière guerre. ⬧ *Piazza Cimitero Monumentale • ouv. mar.-dim. 8h30-17h15 • EG.*

10 Certosa di Garegnano
La banlieue milanaise s'est refermée sur cette ancienne chartreuse du XIVe s. dont subsiste l'église Santa Maria Assunta à la belle façade de la fin de la Renaissance. Daniele Crespi décora l'intérieur de fresques en 1629. ⬧ *Via Garegnano 28 • ouv. t.l.j. 7h-12h et 15h-18h30 • EG.*

Galleria d'Arte Moderna

Une journée dans les musées du nord de Milan

Le matin

Cette journée de visite inclut deux grands musées, et mieux vaut arriver au **Castello Sforzesco** pour l'ouverture à 9h30. Vers 11h, rejoignez **San Simpliciano,** puis dirigez-vous au sud-ouest vers **San Marco.**

Continuez sur la via San Marco pour aller déjeuner à la **Latteria San Marco** *(p. 91)*, une institution milanaise. Revenez ensuite sur vos pas, traversez la via Pontaccio et immergez-vous dans les magnifiques collections de la **Pinacoteca di Brera.**

L'après-midi

Les amateurs d'art passeront probablement le reste de l'après-midi à la pinacothèque, n'en sortant qu'à la fermeture pour une *passeggiata* (promenade du soir) avant le dîner. Toutefois, si vous vous lassez au bout de 90 minutes, vous aurez encore le temps de suivre la via Fatebenefratelli jusqu'à la piazza Cavour.

Du vendredi au dimanche, vous pouvez prendre la via Manin pour un coup d'œil au **Palazzo Dugnani** *(p. 88)* ; longez sinon les Giardini Pubblici par la via Palestro pour découvrir les œuvres modernes de la **Villa Reale**, puis les squelettes de dinosaures et les dioramas au charme désuet du **Museo di Storia Naturale** *(p. 88)*.

Enfin, un dîner à **La Terrazza** *(p. 91)* apportera la juste conclusion à cette journée bien remplie.

Visiter Milan – Le nord

Gauche **Tour Pirelli** Centre **Palazzo Litta** Droite **Stadio Meazza**

🔟 Autres visites

1 Museo del Risorgimento

L'exposition retrace l'histoire du mouvement qui permit aux Italiens de se libérer des tutelles étrangères au XIXᵉ s., une « résurrection » qui conduisit à l'unification du pays. ✎ *Via Borgonuovo 23 • plan M2 • ouv. mar.-dim. 9h-13h et 14h-17h30 • EG.*

2 Porta Nuova

La « Porte neuve » incorpore des reliefs funéraires romains et un tabernacle en marbre du XIIIᵉ s. ✎ *via Manzoni/piazza Cavour • plan N2 • EG.*

3 Palazzo Dugnani

Ce palais du XVIIᵉ s. abrite une fresque de Tiepolo et un musée du Cinéma *(p. 37).* ✎ *Via Manin 2b • plan N1-2 • ouv. ven.-dim. 15h-18h • EP.*

4 Museo di Storia Naturale

Milan possède un musée d'Histoire naturelle depuis 1838. ✎ *Corso Venezia 55 • plan P2 • ouv. mar.-dim. 9h-18h • EG.*

5 Palazzo Litta

Un théâtre et le siège des Chemins de fer italiens occupent ce *palazzo* rococo proche de *La Cène.* ✎ *Corso Magenta 24 • plan K3 • ouv. au moment des expositions.*

6 Museo Teatrale alla Scala

Des locaux temporaires accueillent jusqu'en 2005 le musée de l'Opéra *(p. 41).* ✎ *Corso Magenta 71 • plan K3 • www.teatro allascala.org • ouv. t.l.j. 9h-18h • EP.*

7 Arco della Pace

Luigi Cagnola édifia en 1807 cet arc de triomphe en l'honneur de Napoléon. Mais c'est un empereur autrichien qui l'inaugura. ✎ *Piazza Sempione • plan J1 • EG.*

8 Tour Pirelli

La tour bâtie sur le site de la première usine de pneumatiques de Pirelli fut le plus haut immeuble de béton du monde pendant moins de dix ans. Elle demeure un symbole du dynamisme économique de la Lombardie *(p. 37).* ✎ *Piazza Duca d'Aosta • EG.*

9 Ippodromo

Depuis 1999, le champ de courses de Milan renferme un cheval de bronze fondu par une fondation américaine d'après des croquis exécutés par Léonard de Vinci pour Ludovic le More. ✎ *Piazzale dello Sport 16 • ouv. 9h30-18h.*

🔟 San Siro (Stadio Meazza)

Deux équipes se partagent la « Scala du football » *(p. 62).* ✎ *Via Piccolomini 5 • ouv. pour les matchs • EP • musée (porte 4, lun.-sam., EP).*

Gauche **Vin, chez Cotti** Droite **Rufus**

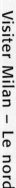

🔟 Boutiques

1 Emporio
Ce soldeur de marques réputées permet de se vêtir de prêt-à-porter de haute qualité sans être obligé de trop se ruiner. ⊗ *Via Prina 11.*

2 Corso Como 10
Dans cet espace associant boutiques, galerie d'exposition et café-restaurant *(p. 65)*, Carla Sozzani, l'ancienne rédactrice en chef de *Vogue Italia*, propose une sélection pointue et chère d'articles allant de la mode à la vaisselle. ⊗ *Corso Como 10.*

3 Surplus
Si vous trouvez que certaines tenues ne se démodent jamais, ne manquez pas ce temple de la fripe et de la reproduction de classiques des quatre dernières décennies. ⊗ *Corso Garibaldi 7 • plan L1.*

4 Cotti
Avec l'expérience que donne un demi-siècle d'existence, l'*enoteca* Cotti garde en cave près de 1 500 vins et spiritueux et propose d'alléchantes spécialités gastronomiques pour les accompagner. ⊗ *Via Solferino 42 • plan L1.*

5 Memphis
Cette galerie de design porte le nom d'un mouvement esthétique fondé en 1981 par de jeunes créateurs. Ettore Sottsass fait partie des plus connus. ⊗ *Via della Moscova 27 • plan L1.*

6 Dolce e Gabbana
D&D s'adresse ici aux jeunes, hommes et femmes. Les boutiques sont via della Spiga *(p. 78).* ⊗ *Corso Venezia 7 • plan P2.*

7 Boggi
Boggi habille les Milanais depuis des années. Leurs vêtements et accessoires pour hommes ont une coupe recherchée, mais les prix sont raisonnables. ⊗ *Corso Buenos Aires 1 • plan P1.*

8 Il Drug Store
Les jeunes gens qui n'ont pas encore les moyens de s'offrir Armani et Prada peuvent s'habiller ici avec classe. ⊗ *Corso Buenos Aires 28 • plan P1.*

9 Vestimoda Stock
Ce magasin vend à prix discount du prêt-à-porter italien de marque pour hommes et femmes. ⊗ *Via M. Macchi 28.*

10 Rufus
Rufus vend des chaussures de grandes marques à prix dégriffés. Certaines valent moins de 90 € la paire. ⊗ *Via Vitruvio 35.*

Gauche et droite **Pasticceria Marchesi**

TOP10 Cafés et vie nocturne

1 Bar Magenta
Ce café évoque Paris et possède une terrasse. Il sert de la Guinness à la pression, de bons cocktails et un choix correct de plats *(p. 65)*. ◈ *Via Carducci 13 à l'angle du corso Magenta • plan K3 • €.*

2 Pasticceria Marchesi
Ce salon de thé et chocolatier se trouve non loin de *La Cène (p. 65)*. ◈ *Via Santa Maria alla Porta 13 • plan K3 • €.*

3 Bar Jamaica
Une demi-douzaine de bars faisant aussi glaciers bordent une rue piétonnière au nord de la pinacothèque. Celui-ci doit son nom à un journaliste local à qui il évoquait *L'Auberge de la Jamaïque* d'Alfred Hitchcock. ◈ *Via Brera 32 • plan L2 • €.*

4 El Tombon de San Marc
Cet établissement a beau proposer aujourd'hui une carte complète, il reste surtout populaire pour son bar, ses bières et sa fermeture tardive. ◈ *Via San Marco 20 • plan M1 • €.*

5 Le Trottoir
On se presse dans ce club bohème minuscule accueillant des concerts *(p. 61)*. ◈ *Corso Garibaldi 1 • plan L2.*

6 Bar Radetzky
Ce café minimaliste et sans chichis existe depuis toujours. Les habitués s'y retrouvent pour un *expresso* vite bu le matin, ou un apéritif plus décontracté après leur journée de travail. ◈ *Corso Garibaldi 105 • plan L1 • €.*

7 Bar Margherita
Des sièges aux coussins profonds invitent à savourer sans hâte de bons cocktails dans un décor moderne. ◈ *Via Moscova 25 • plan L1 • €.*

8 Hollywood
La boîte de nuit fétiche des mannequins et stylistes reste fidèle aux années 1980 *(p.61)*. ◈ *Corso Como 15.*

9 Tunnel
Cet entrepôt aménagé sous des arcades de la gare centrale programme une intéressante sélection de groupes de rock d'avenir *(p. 61)*. ◈ *Via Sammartini 30.*

10 Teatro degli Arcimboldi
Une remarquable salle de spectacle moderne a été construite dans l'ancien quartier industriel de Bicocca pour remplacer la Scala pendant sa rénovation *(p. 41, 74 et 88)*. ◈ *Viale dell'Innovazione • 02-7200-3744.*

Gauche **Joia** Droite **Sukrity**

TOP 10 Restaurants

1 Pizzeria Grand'Italia
La meilleure pizzeria de la ville, de l'avis de nombreux Milanais, ne sert que des portions. On peut aussi se restaurer d'un plat de pâtes. ◉ *Via Palermo 5 • plan L1 • 02-877-759 • €.*

2 Latteria
Cette *trattoria* du quartier Brera connaît un tel succès qu'il faut s'attendre à faire la queue pour déguster ses spécialités locales. ◉ *Via San Marco 24 • plan M1 • 02-659-7653 • ferm. sam. et dim. • pas de cartes de paiement • €€€.*

3 La Terrazza
Le restaurant du Centre culturel suisse propose une cuisine méditerranéenne.
◉ *Via Palestro 2 • plan N2 • 02-7600-2186 • ferm. sam. et dim. • €€€€.*

4 Joia
Même les carnivores les plus endurcis se délectent des créations végétariennes du chef de la Joia. ◉ *Via P. Castaldi 18 • plan P1 • 02-204-9244 • ferm. dim. • €€€€€.*

5 Sukrity
Le plus vieux restaurant indien de Milan offre un bon rapport qualité-prix.
◉ *Via P. Castaldi 22 • plan N1 • 02-201-315 •www.sukrity.com • €.*

6 Tipica Osteria Pugliese
Des recettes des Pouilles à savourer dans un cadre chaleureux. ◉ *Via Tadino 5 • plan P1 • 02-2952-2574 • ferm. dim. • €€€€.*

7 Brek
Cette chaîne italienne de restauration rapide se distingue par sa qualité. ◉ *Via Lepetit 20 • 02-670-5149 • ferm. dim. • €.*

8 Ristorante Anzani
Près de la gare centrale, la carte de cette *trattoria* sans prétention privilégie les classiques milanais. ◉ *Via Andrea Doria 44 • 02-670-4187 • ferm. dim. • €€.*

9 Da Abele
Ce restaurant étonnant se trouve juste assez loin du centre fréquenté par les touristes pour conserver son authenticité. De délicieux *primi* de poisson et *secondi* de viande rôtie lui valent une clientèle d'habitués.
◉ *Via Temperanza 5 • 02-261-3855 • ferm. à midi et lun. • €€.*

10 Pizzeria Vecchia Napoli
Les Napolitains ont la réputation de faire les meilleures pizzas, comme s'emploie à le prouver cet établissement très fréquenté. On peut aussi commander pâtes et grillades.
◉ *Via Chavez 4 (par la via Padova) • 02-261-9056 • ferm. dim. midi et lun. • €.*

***Remarque** : sauf indication contraire, tous les restaurants acceptent les cartes de paiement et proposent des plats végétariens.*

Gauche **Pont du Naviglio Grande** Centre **Rotunda della Besana** Droite **Abbazia**

Sud de Milan

Le quartier qui s'étend au sud du *centro storico* renferme nombre des églises les plus intéressantes de Milan après la cathédrale. Citons Sant'Ambrogio et San Lorenzo Maggiore, principalement romanes, mais qui ont conservé des chapelles paléochrétiennes ; Sant'Eustorgio, riche en peintures et sculptures ; Santa Maria della Passione et Santa Maria presso San Celso, fruits des recherches de la Renaissance, et la Rotonda di via Besana, ceinte au XVIIIe s. d'un élégant portique. Dans un ancien couvent, le musée des Sciences et des Techniques rend hommage au génie de Léonard de Vinci avec une belle exposition de croquis et de modèles de ses inventions. Plus au sud, le quartier des Navigli parcouru de canaux a perdu sa vocation portuaire pour devenir le pôle de la vie nocturne.

San Lorenzo

1 Museo Nazionale della Scienza e delle Tecnica – Leonardo da Vinci

Le Musée national des sciences et des techniques a fondé sa réputation sur les modèles en bois d'inventions de Léonard de Vinci, qui emplissent la salle principale. Ses autres expositions, sur des sujets comme l'histoire des transports, la cinématographie, les ondes radio ou l'électricité, ne manquent pas non plus d'intérêt *(p. 40).* ◎ *Via San Vittore 21 • plan J4 • www.museoscienza.org • ouv. mar.-ven. 9h30-16h50, sam.-dim. 9h30-18h20 • EP.*

2 Sant'Ambrogio

Fondée au IVᵉ s., la basilique Saint-Ambroise de style romano-lombard possède une austérité à l'opposé de l'exubérance du Duomo. Avec ses mosaïques paléochrétiennes, ses sculptures médiévales et ses fresques de la fin de la Renaissance, elle fait partie des monuments à ne pas manquer dans la région *(p. 20-21).* ◎ *Plan K4.*

3 San Lorenzo Maggiore

Seize colonnes corinthiennes provenant d'un temple du IIᵉ s. séparent le parvis de la rue. Des matronées (tribunes réservées aux femmes) entourent la nef de plan circulaire au-dessus du déambulatoire. La chapelle paléo-chrétienne Saint-Aquilin abrite des sarcophages antiques *(p. 38).* ◎ *Corso di Porta Ticinese 39 • plan L5 • www.sanlorenzo maggiore.com • t.l.j. 8h30-18h45 • EG.*

Sant'Ambrogio

4 Museo Diocesano

Le Musée diocésain inauguré en 2001 présente environ 320 œuvres religieuses, réparties en dix sections, issues de trésors et d'églises de Milan et de sa région. Elles comprennent de nombreux petits panneaux des écoles gothiques de l'Italie centrale des XIVᵉ et XVᵉ s., des tapisseries flamandes du XVIIᵉ s. et quelques beaux retables, dont une *Crucifixion avec Marie-Madeleine* du romantique Francesco Hayez et un *Christ et la Femme adultère* par le Tintoret, un maître du maniérisme. ◎ *Corso di Porta Ticinese 95 • Plan K5 • www.museodiocesano.it • ouv. mar.-dim. 10h-18h • EP.*

Cloître de Sant'Ambrogio

5 Sant'Eustorgio

Les chapelles ouvrant dans le bas-côté droit de cette église romano-gothique reçurent leurs fresques aux XIVᵉ et XVᵉ s.

Il Bergognone peignit le triptyque qui orne la première. La chapelle Portinari *(p. 39)* abrite la châsse sculptée en 1339 par Balduccio pour recevoir les reliques de saint Pierre Martyr. ✎ *Piazza S. Eustorgio • plan K6 • ouv. t.l.j. 7h30-12h30 et 15h30-18h30 • musée : ouv. t.l.j. 10h-18h • EG.*

Sant'Eustorgio

6 I Navigli

Desservi par deux canaux, le Naviglio Grande et le Naviglio Pavese, le bassin de la Darsena resta un port actif de 1603 jusqu'au 30 mars 1979 où la dernière péniche vida son chargement de sable. Les anciens entrepôts se sont depuis transformés en immeubles d'habitation, et des restaurants, des bars, et des boutiques bordent aujourd'hui les chemins de halage. Réputé pour sa vie nocturne, le quartier des Navigli est le plus animé – même pendant les vacances d'août – et le plus bohème de Milan. ✎ *Sud et est de la piazza XXIV Maggio • plan J3.*

7 Santa Maria presso San Celso

Cette église Renaissance élevée entre 1493 et 1506 doit son nom au sanctuaire roman contigu de San Celso. Dessinée par Cesare Cesarino, la cour à arcades qui précède l'entrée est considérée comme l'un des plus beaux exemples d'architecture du début du XVIᵉ s. à Milan. La décoration intérieure comprend une *Vierge adorant l'Enfant* d'il Bergognone. ✎ *Corso Italia 37 • plan L6 • ouv. lun.-ven. 7h-12h et 16h-18h30, sam.-dim. 7h-12h et 17h-19h15 • EG.*

8 Rotonda di via Besana

Construite en 1713, cette église en forme de croix grecque accueille aujourd'hui des expositions temporaires sous sa coupole. Elle se dresse au milieu d'un petit espace vert entouré d'un élégant portique. L'été, le lieu sert de cadre à des projections de films en plein air. ✎ *Via Besana/viale Regina Margherita • plan P5 • ouv. lors d'expositions.*

9 Santa Maria della Passione

Ce modeste sanctuaire au plan en croix grecque édifié entre 1486 et 1530 reçut en 1573 la vaste nef et les profondes chapelles qui en font aujourd'hui la deuxième église de la ville par la taille. Antonio Campi exécuta les fresques de l'abside, et Daniele Crespi les scènes de la Passion de la coupole, ainsi que le portrait de saint Charles de la première chapelle à

Rotonda di via Besana

Croisières sur les canaux

L'office du tourisme subventionne des promenades commentées d'environ 4 heures sur le Naviglio Grande. Elles ont lieu deux fois par jour sauf le mardi (réservation obligatoire). Des bus poussent plus loin l'« excursion culturelle » du samedi, et la « découverte de la nature » du dimanche. www.naviganavigli.it ou www.amicideinavigli.org

gauche. Le Museo della Basilica ouvre à droite du maître-autel. ◈ *Via Bellini 2 • plan P3 • ouv. t.l.j. 7h-12h et 15h30-18h • EG.*

10 Abbazia di Chiaravalle
Aujourd'hui cernée par la banlieue milanaise, cette abbaye cistercienne édifiée hors les murs entre 1172 et 1221 a remarquablement traversé les siècles. Elle possède un élégant clocher à étages de galeries et des peintures murales des XVe et XVIe s. décorent l'intérieur. Dans le transept droit, une *Vierge à l'Enfant* de Luini orne le sommet de l'escalier du dortoir des moines. ◈ *Via S. Arialdo 102 • ouv. mar.-sam. 9h-11h45 et 15h-18h45, dim. 10h30-11h45 et 15h-18h45 • EG.*

Abbazia di Chiaravalle

Un jour avec Léonard

Le matin

🕘 Si vous voulez suivre les pas de Léonard de Vinci à Milan, vous devrez transgresser la division entre nord et sud de Milan.

Partez de la station de métro Cordusio, et prenez à l'ouest la via Meravigli jusqu'à l'angle de la via S. Maria alla Porta pour déguster un *cappuccino* à la **Pasticceria Marchesi**. Poursuivez à l'ouest. Une visite rapide du **Museo Archeologico** *(p. 85)* ne demande que 20 mn.

Réservez longtemps à l'avance votre entrée, à 10 h, dans le réfectoire abritant *La Cène (p. 85).*

Suivez à l'est le corso Magenta jusqu'à la via Carducci pour déjeuner et vous détendre au **Bar Magenta** au décor Art Belle Époque *(p. 90).*

L'après-midi

Descendez la via Carducci jusqu'à la via San Vittore (de l'autre côté de la rue, vous verrez la Pusterla di S. Ambrogio, un vestige des fortifications médiévales), et tournez à droite pour rejoindre le **Museo della Scienza** *(p. 93).*

Vers 15h30, revenez sur vos pas sur la via S. Vittore jusqu'à S. Ambrogio. Descendez la via Edmondo de Amicis jusqu'au corso della Porta Ticinese et **San Lorenzo Maggiore** *(p. 93).* Visitez le **Museo Diocesano**, puis allez à **Sant'Eustorgio**.

À un pâté de maisons au sud, le quartier des **Navigli** riche en bars et restaurants *(p. 96-97)* est idéal pour passer la soirée.

Gauche **Annonce de soldes** Droite **Shopping Porta Ticinese**

TOP 10 Boutiques et vie nocturne

1 Specchio di Alice
Si vous cherchez une veste de cuir ou des articles rétro, essayez cette boutique de fripes pour hommes et femmes.
◎ *Corso di Porta Ticinese 64 • plan K5.*

2 Floretta Coen Misul
De grands noms de la mode (Missoni, Ferré, Yves Saint-Laurent) à prix réduits : robes à moins de 150 € et costumes à moins de 200 €. ◎ *Via San Calocero 3 • plan J5.*

3 Biffi
Plus que par les prix, Biffi se distingue par l'étendue de sa sélection de prêt-à-porter.
◎ *Corso Genova 6 • plan J5.*

4 El Brellin
Le restaurant accueille des musiciens et possède un minuscule bras d'eau jadis utilisé par les lavandières. ◎ *Vicolo dei Lavandai/alzaia Naviglio Grande 14 • plan J6 • 02-5810-1351 • ferm. dim. • €.*

5 Birreria La Fontanella
La jeunesse milanaise vient ici boire de la bière dans de hauts verres peu pratiques.
◎ *Alzaia Naviglio Pavese 6 • plan K6 • 02-837-2391 • ferm. lun. • €.*

6 Scimmie
Ce club de jazz fait aussi pizzeria. À la belle saison, une péniche permet de profiter de la douceur des nuits. ◎ *Via Asciano Sforza 49 • plan K6 • 02-8940-2874 • www.scimmie.it • €.*

7 Grand Café Fashion
Mannequins, créateurs de mode et grands ordonnateurs des tendances côtoient dans le bar et son jardin les anonymes que leur monde fait rêver. Le sous-sol abrite une discothèque.
◎ *Corso di Porta Ticinese 60 • plan K5 • 02-8940-2997 • ferm. lun. • €€.*

8 C-Side
De la pop nostalgique à la salsa, la programmation musicale est éclectique dans cette discothèque post-moderne détenue par des footballeurs.
◎ *Via Castelbarco 11 • €.*

9 Il Salvagente
« Le refuge » propose sur deux niveaux des vêtements de marques italiennes, françaises et américaines à peu près à moitié prix. Et il y a même des soldes en janvier et en juin. ◎ *Via Fratelli Bronzetti 16.*

10 Rolling Stone
Le temple milanais du rock depuis 20 dernières années est incontesté. Il organise aussi des nuits hip-hop. ◎ *Corso XXII Marzo 32 • www.rollingstone.it • ferm. dim et lun • €€.*

Gauche **Premiata Pizzeria** Droite **Trattoria Aurora**

Où manger

1 Ponte Rosso
Dans un quartier branché, le « Pont rouge » s'en tient à de solides classiques de Milan et Trieste. ❄ Ripa di Porta Ticinese 23 • plan J6 • 02-837-3132 • ferm. mer. soir et dim. • €€.

2 Al Pont de Ferr
« Au pont de fer » compte parmi les quelques restaurants des Navigli qui ne doivent leur réputation qu'à la qualité des plats (p. 68). ❄ Ripa di Porta Ticinese 55 • plan J6 • 02-8940-6277 • €€€.

3 Le Vigne
La carte fait voisiner spécialités locales et plats du Piémont. ❄ Ripa di Porta Ticinese 61 • plan J6 • 02-837-5617 • ferm. dim. • €€.

4 Premiata Pizzeria
La pizzeria la plus populaire des Navigli possède une terrasse très convoitée. Réservez ! ❄ Via Alzaia Naviglio Grande 2 • plan K6 • 02-8940-0648 • ferm. mar. midi • €.

5 Asso di Fiori
Le plateau de fromages italiens force l'admiration. Le chef les utilise dans tous les mets où c'est possible. ❄ Alzaia Naviglio Grande 54 • plan K6 • 02-8940-9415 • ferm. dim. • €€€.

6 Trattoria Famiglia Conconi
Cet établissement propose de bons plats de saison et une intéressante carte des vins. ❄ Alzaia Naviglio Grande 62 • plan K6 • 02-8940-6587 • ferm. lun. • €€€.

7 Grand Hotel
Dans une ruelle donnant sur le viale Liguria, le jardin du Grand Hotel offre un cadre paisible où déguster des spécialités de Milan et de Mantoue. ❄ Via Asciano Sforza 75 • plan K6 • 02-8951-1586 • ferm. lun. • €€€.

8 Sadler
Claudio Sadler, l'un des grands chefs milanais, donne un tour moderne à des recettes régionales servies dans un décor contemporain. ❄ Via Trolio 14 • 02-5810-4451 • ferm. lun. • €€€€€

9 Trattoria Aurora
Ce temple de la cuisine piémontaise propose un menu d'un incroyable rapport qualité-prix et à déguster dans un cadre verdoyant. ❄ Via Savona 23 • plan J5 • 02-8940-4978 • ferm. lun. • €€€.

10 Il Luogo di Aimo e Nadia
Baptisée d'après les prénoms du couple d'origine toscane qui fonda sa réputation, l'une des toutes meilleures tables de Milan, située loin du centre, suit une démarche très originale (p. 68). ❄ Via P. Montecuccoli 6 • 02-416-886 • ferm. sam. et dim. • €€€€€.

Remarque : sauf indication contraire, tous les restaurants acceptent les cartes de paiement et proposent des plats végétariens.

Gauche **Isola Madre, îles Borromées** Centre **Santa Caterina del Sasso** Droite **Rocca di Angera**

Lac Majeur

*L*e plus occidental des grands lacs italiens s'étend à la frontière entre la Lombardie et le Piémont, et s'enfonce en territoire suisse. À partir du xvᵉ s., les Borromées établirent leur fief dans la région bordant sa moitié sud ; ils y ont toujours de nombreuses propriétés, dont les îles portant leur nom. Au début du xixᵉ s., la construction par Napoléon de la route du Simplon, entre Milan et Genève, ouvrit la voie au développement touristique des rives du plan d'eau. Celui-ci ne possède pas la popularité balnéaire du lac de Garde, ni des paysages aussi exceptionnels que le lac de Côme, mais il offre l'avantage d'être moins construit que le premier, et moins fréquenté que le second.

Statue de Charles Borromée, Arona

🔟 Les sites

1. Arona
2. Rocca di Angera
3. Stresa
4. Santa Caterina del Sasso
5. Îles Borromées
6. Verbania
7. Cannero Riviera
8. Cannobio
9. Ascona
10. Locarno

Stresa

1 Arona

Napoléon a rasé la forteresse de cette ville au visage aujourd'hui moderne et dont les Borromées avaient jadis fait l'un de leurs bastions. Un seul monument entretient le souvenir de la puissante famille : une statue de 23 m, fondue au XVIIe s. Elle représente saint

Arona

Charles Borromée. Un escalier grimpe à l'intérieur et permet de contempler par ses yeux l'église en dessous. Des quinze chapelles qui devaient jalonner la route y conduisant, deux seulement ont été achevées.
✪ Plan A3 • information touristique : piazzale Duca d'Aosta• 0322-243-601.

2 Rocca di Angera

Ce château entrepris au XIe s. devint une résidence des Borromées en 1449. Il conserve des fresques peintes entre 1342 et 1354. Elles font partie des rares œuvres gothico-lombardes à sujet profane à avoir survécu. La tour ménage un large panorama du lac. Le Museo della Bambola possède plus de 200 poupées, les plus anciennes datent du XVIIIe s. (p. 42). ✪ Angera • plan A3 • 0331-931-300 • ouv. mars.-sept. : t.l.j.; 9h30-17h30 ; oct.nov. : t.l.j. 9h30-17h • EP.

3 Stresa

Hôtels et restaurants bordent les rues piétonnières du joli petit port d'accès aux îles Borromées (p. 100) où se tient en été un festival de musique réputé (p. 52). Au sud du centre, un petit zoo occupe le beau jardin botanique de la Villa Pallavicino. ✪ Plan A3 • information touristique : embarcadère • 0323-31-308 • www.parcozoopallavicino.it.

4 Santa Caterina del Sasso

Sur le lieu où un marchand sauvé d'un naufrage fit vœu de vivre en ascète s'élève un sanctuaire du XIIIe s. Composé de plusieurs édifices, il est adossé à la falaise. Il conserve quelques fresques et offre surtout une belle vue du lac (p. 42). ✪ Près de Leggiuno • plan B3 • ouv. t.l.j. 8h30-12h et 14h30-18h (week-end seul. en hiver) • EG.

Rocca di Angera

Gauche **Jardin, îles Borromées** Droite **Cannero Riviera**

5 Îles Borromées

La famille Borromée, qui exerça pendant plusieurs siècles le pouvoir sur la région, édifia sur Isola Bella et Isola Madre des palais entourés de splendides jardins. Le village de pêcheurs d'Isola dei Pescatori, aussi appelé Isola Superiore, renferme des restaurants et des hôtels *(p. 22-23).* ✪ *Plan A2-3.*

6 Verbania

La conurbation de Verbania réunit trois localités : le village de Suna, l'active Intra et Pallanza, pôle touristique riche de son patrimoine médiéval. Le Palazzo Viani Dugnani y abrite une collection de paysages. Un beau jardin botanique de 16 ha entoure la Villa Taranto *(p. 44).* ✪ *Plan A2 • information touristique : corso Zanitello 6-8 • 0323-503-249.*

7 Cannero Riviera

Ce petit village s'étend sur un promontoire protégé et jouit d'un climat clément qui permet aux citronniers et aux camélias d'y prospérer. Ses ruelles médiévales et ses maisons du XVIIIᵉ s. lui donnent un agréable cachet

> ### Les sanglants Mazzarditi
>
> Au début du XVᵉ s., les cinq frères Mazzarditi profitèrent de la faiblesse du pouvoir politique dans la région pour utiliser leurs châteaux de Cannero comme base de razzias. Assiégés en 1412 par 500 hommes du duc Visconti, ils furent vaincus en 1414. Quatre réussirent à s'enfuir, le cinquième se noya. Son fantôme hanterait toujours les ruines.

historique. À courte distance au large, deux îlots portent les ruines menaçantes de châteaux élevés entre 1200 et 1300. Les frères Mazzarditi s'en servirent de repaire pour commettre leurs méfaits *(voir encadré).* Les Borromées les fortifièrent en 1519 pour constituer une ligne de défense efficace contre les Suisses. ✪ *Plan B2 • information touristique : via Angelo Orsi 1 • 0323-788-943.*

Cannobio

8 Cannobio

Dernier village avant la frontière suisse, près des belles gorges de Santa Anna, Cannobio conserve un charme moyenâgeux avec ses ruelles pavées et ses maisons anciennes. Les restaurants du port dressent des tables en terrasse l'été. ◈ *Plan B2*
• *information touristique : viale Vittorio Veneto 4 • 0323-71-212.*

9 Ascona

La beauté du site a valu à cette petite ville d'attirer des célébrités comme Kandinsky, Freud et Thomas Mann. Elle possède une personnalité double : elle accueille une concentration de Harley Davidson et un festival de jazz en juillet, et organise en septembre un rassemblement de Rolls Royce et des concerts de musique classique. Elle conserve deux églises anciennes, tandis que des boutiques chic et des galeries d'art bordent ses ruelles. Au Monte Verità subsistent les habitations d'une communauté utopiste. ◈ *Plan B2*
• *information touristique : Casa Serodine, au bord du lac via Albarelle.*

10 Locarno

Ce qui reste de la vieille ville justifie de passer la frontière. Le Castello Visconteo date principalement des XIVe et XVe s. et abrite le Musée municipal et archéologique. Des peintures par Bramantino et Ciseri décorent le Santuario della Madonna del Sasso (1497) accessible en funiculaire. La collection d'art moderne de la pinacothèque est riche en œuvres de l'école de Paris et du peintre et sculpteur Jean Arp. Elle occupe la casa Rusca du XVIIIe s. ◈ *Plan B1*
• *information touristique : casino de la Piazza Grande.*

Un jour au lac Majeur

Le matin

À 10h à l'embarcadère de **Stresa** *(p. 99),* achetez un forfait pour la journée comprenant l'accès aux jardins et palais des **îles Borromées.**

Commencez par **Isola Bella** où vous consacrerez 2 h au **Palazzo Borromeo** et à ses jardins raffinés. Prenez la vedette de 12h25 pour une brève étape à **Isola dei Pescatori**, où vous pourrez vous installer au bord du lac sur la terrasse du **Verbano** pour déjeuner (réservez à l'avance, *voir p. 102*).

L'après-midi

Explorez l'ancien village de pêcheurs avant de continuer en bateau jusqu'à **Isola Madre.**

La visite de la **Villa Borromeo** ne prend qu'une demi-heure, mais le vaste jardin botanique qui l'entoure offre un cadre très agréable à une flânerie. Le plan multilingue fournit de nombreuses informations, entre autres sur les spécimens rares de la flore exotique peuplée d'oiseaux.

Pour le retour, essayez de monter dans une vedette qui dessert Lido-Funivia, point d'accès au **Monte Montarrone,** un arrêt avant Stresa proprement dit. Comptez 20 min à pied pour rejoindre le centre par la promenade littorale peu fréquentée et bordée de villas romantiques. En fin d'après-midi, la vue des îles est ravissante.

Visiter la région – Lac Majeur

Gauche **Osteria degli Amici** Droite **Verbano**

TOP 10 Où manger

1 Osteria degli Amici, Stresa

Dans une rue à l'écart du rivage, le « Bistrot des amis » sert des mets allant de la pizza au poisson tout frais sorti du lac. ◈ *Via Bolognaro 31* • *plan A3* • *0323-30-453* • *ferm. mer., janv. et nov.* • *€€€.*

2 Ristorante del Pescatore, Stresa

Dans le haut du village, les plats de poisson et la paella (pour deux personnes au moins) sont réputés. Réservation conseillée. ◈ *Vicolo del Poncivo 3 (par la via Bolognaro)* • *plan A3* • *0323-31-986* • *ferm. mar., déc.-janv.* • *€€€€€.*

3 Piemontese, Stresa

Les boiseries donnent le ton dans ce restaurant chic où les serveurs portent le nœud papillon. La cour ombragée se révèle encore plus agréable pour savourer les déclinaisons modernes de recettes locales. ◈ *Via Mazzini 25* • *plan A3* • *0323-30-235* • *ferm. lun., déc.-janv.* • *€€€€.*

4 Verbano, Isola dei Pescatori (Isola Superiore)

Le restaurant de l'hôtel *(p. 103)* offre une vue slendide depuis une terrasse à la pointe de l'île. Plats régionaux de qualité à des prix raisonnables. ◈ *Plan A3* • *0323-32-534* • *ferm. janv.-mars* • *€€€.*

5 Milano, Verbania-Pallanza

La meilleure table de Verbania propose des classiques piémontais. ◈ *Corso Zanitello 2* • *plan A2* • *0323-556-816* • *ferm. mar.* • *€€€€€.*

6 Boccon di Vino, Verbania-Suna

Cette petite *osteria* détendue sert dans une salle voûtée des pâtes faites maison et des plats simples et consistants. ◈ *Via Troubetzkoy 86* • *plan A2* • *0323-504-039* • *ferm. dim.-lun.* • *€€.*

7 Lo Scalo, Cannobio

Le meilleur restaurant de Cannobio sert des spécialités piémontaises (à base de poissons du lac et de légumes) auxquelles il apporte une touche inventive. ◈ *Piazza Vittorio Emanuele II 32* • *plan B2* • *0323-71-480* • *ferm. lun., mar. midi, mi-janv.-mi-fév.* • *€€€€.*

8 Il Sole, Ranco

Ce relais gourmand reste fidèle à de vieilles recettes régionales, mais les sert dans une salle moderne où résonne de la musique new age *(p. 69)*. ◈ *Piazza Venezia 5* • *plan A3* • *0331-976-507* • *ferm. mar. et déc.-janv.* • *€€€€€.*

9 La Vecchia Arona, Arona

Franco Carrera réinterprète avec enthousiasme et créativité des mets « traditionnels ». La carte change au gré de son inspiration. ◈ *Via Marconi 17* • *plan A3* • *0322-242-469* • *ferm. ven.* • *€€€.*

10 Trattoria Campagna, Arona

Cette auberge de campagne dans les collines sert de bonnes pâtes et des plats de gibier farci. ◈ *Via Vergante 12* • *plan A3* • *0322-57-294* • *ferm. lun. soir et mar.* • *€€€.*

Remarque : *sauf indication contraire, tous les restaurants acceptent les cartes de paiement et proposent des plats végétariens.*

Gauche **Grand Hotel, Locarno** Droite **Il Sole**

🔟 Hébergement

1 Grand Hôtel des Îles Borromées, Stresa
Ce palace Belle Époque compte parmi les plus chic d'Italie et apparaît dans *L'Adieu aux armes* d'Hemingway. 🌐 *Corso Umberto I 67* • *plan A3* • *0323-938-938* • *www.borromees.it* • *€€€€€.*

2 La Palma, Stresa
Les prix sont relativement modérés et les hôtes jouissent d'un confort presque luxueux : balcons donnant sur le lac, vastes salles de bains en marbre et piscine. 🌐 *Corso Umberto I 33* • *plan A3* • *0323-32-401* • *www.hlapalma.it* • *ferm. déc.-fév.* • *€€€.*

3 Primavera, Stresa
Dans le centre piétonnier, le petit Primavera loue des chambres au confort basique. 🌐 *Via Cavour 30* • *plan A3* • *0323-31-286* • *www.stresa.it* • *ferm. en hiver (sauf Noël et Nouvel An)* • *€€.*

4 Verbano, Isola dei Pescatori (Isola Superiore)
Très demandées, les chambres en façade dominent le restaurant *(p. 102).* 🌐 *Plan A3* • *0323-30-408* • *www.hotelverbano.it* • *ferm. en janv.* • *€€.*

5 Grand Hotel Majestic, Verbania-Pallanza
Debussy résida dans ce quatre-étoiles construit en 1870. Les chambres sont spacieuses, la plupart donnent sur le lac. 🌐 *Via Vittorio Veneto 32* • *plan A2* • *0323-504-305* • *www.grandhotelmajestic.it* • *€€.*

6 Pironi, Cannobio
Dans un ancien couvent franciscain du XVe s., les chambres possèdent un charme historique. 🌐 *Via Marconi 35* • *plan B2* • *0323-70-624* • *www.pironihotel.it* • *ferm. nov.-mars* • *€.*

7 Il Portico, Cannobio
Le restaurant et les meilleures chambres de cet hôtel moderne dominent le lac. 🌐 *Piazza Santuario 2* • *plan B2* • *0323-70-598* • *www.portico.godzilla.it* • *€.*

8 Grand Hotel, Locarno
Les grandes puissances européennes concluent ici en 1925 les accords de Locarno qui échouèrent à garantir la paix. Les pièces communes conservent leur cachet Belle Époque, les chambres sont modernes. 🌐 *Via Sempione 17* • *plan B1* • *41-091-743-0282* • *www.grand-hotel-locarno.ch* • *€€.*

9 Il Sole, Ranco
L'établissement le plus confortable de la rive orientale loue 14 chambres meublées d'antiquités, mais offrant tout le confort moderne. Il possède un restaurant gastronomique *(p. 102).* 🌐 *Piazza Venezia 5* • *plan A3* • *0331-976-507* • *www.relaischateaux.com* • *ferm. déc.-fév.* • *€€€€.*

10 Conca Azzurra, Ranco
Un hôtel moderne avec piscine et courts de tennis au bord du lac. 🌐 *Via Alberto 53* • *plan A3* • *0331-976-526* • *www.concazzurra.it* • *ferm. mi-déc.-mi-fév.* • *€€.*

> *Sauf indication contraire, les hôtels acceptent les cartes de paiement et toutes les chambres disposent d'une salle de bains et sont climatisées.*

Gauche **Statue, Villa Melzi, Bellagio** Centre **Piazza del Duomo, Côme** Droite **Vedette, Tremezzo**

Lac de Côme

A u pied des sommets enneigés des Préalpes, le plus
*beau des lacs italiens étend ses eaux turquoise et
saphir en trois bras. Sa longueur totale est de 50 km,
mais sa largeur excède rarement 2 km. Des villes actives
du sud jusqu'à la pointe nord aux stations de villégiature
appréciées des véliplanchistes, la région présente une
grande diversité. Elle a inspiré des écrivains comme
Stendhal, Byron, Shelley et Alessandro Manzoni, qui y situa
son roman* Les Fiancés (p. 50), *ainsi que les compositeurs
Liszt, Verdi, Rossini et Bellini. Les villas romantiques nichées
dans de luxuriants jardins au bord de l'eau témoignent de
l'attrait que ce site exceptionnel exerce depuis l'Antiquité –
Pline le Jeune y posséda deux résidences.*

Basilica di
Sant'Abbondio

Les sites

1. Duomo, Côme
2. Basilica di
   Sant'Abbondio, Côme
3. Funiculaire de
   Brunate, Côme
4. Villa Balbianello,
   Lenno
5. Villa Serbelloni,
   Bellagio
6. Villa Melzi, Bellagio
7. Villa Carlotta,
   Tremezzo
8. Villa Monastero,
   Varenna
9. Villa Cipressi, Varenna
10. Abbazia di Piona

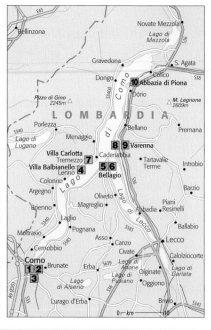

Caffé Rossi, Bellagio

Pages précédentes **Bellagio, sur le lac de Côme**

Duomo, Côme

1 Duomo, Côme

La cathédrale de Côme fut commencée dans le style gothique en 1396, et couronnée en 1740 d'une coupole baroque dessinée par Juvara. Pourtant elle offre l'un des plus beaux exemples de l'école de la Renaissance lombarde. Deux personnages profanes, Pline l'Ancien et Pline le Jeune, encadrent l'entrée. De somptueuses tapisseries tissées en Flandre, à Florence et à Ferrare aux XVIe et XVIIe s. décorent la nef *(p. 39 et 42)*. *Piazza del Duomo • plan C3 • 031-265-244 • ouv. 7h-12h et 15h-19h • EG.*

2 Basilica di Sant'Abbondio, Côme

Située dans un quartier périphérique et industriel, cette basilique romano-lombarde à la façade austère encadrée de deux tours date du XIe s. Dans l'abside, des fresques du XVIe s. illustrent la vie du Christ. *Via Sant'Abbondio (par le viale Innocenzo XI) • plan C3 • ouv. t.l.j. 9h-12h, 15h-18h • EG.*

3 Funiculaire de Brunate, Côme

Un funiculaire accessible en bateau depuis le port de Côme rejoint le village de Brunate, perché sur un plateau, d'où s'ouvre un large panorama du lac. De nombreux sentiers sillonnent les collines qui l'entourent (cartes disponibles à l'Office du tourisme). *Piazza A. De Gaspari • plan C3 • 031-303-608 • ouv. t.l.j., 6h30-24h (22h30 en hiver), départs toutes les demi-heures (plus fréquents en été) • EP.*

4 Villa Balbianello, Lenno

Plusieurs réalisateurs ont filmé le jardin aux balustrades ornées de statues de cette villa édifiée en 1784. Elle est accessible en bateau depuis Lenno, mais également à pied le mardi, le samedi et le dimanche. Il faut réserver pour découvrir la demeure elle-même, et la visite n'est pas bon marché *(p. 45)*. *Lenno • plan C2 • 0344-56-110 • ouv. avr.-oct. : jeu.-dim. et mar. 10h-12h30 et 15h30-18h30 • EP.*

Villa Balbianello

➜ *Hébergement au lac de Côme* **p. 113**

107

Gauche **Promontoire de Bellagio** Droite **Villa Melzi**

5 Villa Serbelloni, Bellagio

Le promontoire au point de rencontre des trois bras du lac de Côme est un lieu de résidence apprécié depuis l'Antiquité : Pline le Jeune y avait une villa baptisée « Tragédie ». Un château la remplaça au Moyen Âge, puis au XVᵉ s. une demeure de la famille Stagna. Le dernier membre de la lignée la céda à un ami du nom de Serbelloni en 1788. Possédant déjà une maison au village (l'actuel hôtel Villa Serbelloni, *p. 113*), celui-ci la transforma en villégiature d'été. Propriété de la fondation Rockefeller depuis 1959, elle n'est pas ouverte aux visiteurs, mais ceux-ci peuvent découvrir le splendide jardin qui l'entoure *(p. 44)*. ◈ *Piazza della Chiesa, Bellagio • plan C2 • 031-951-555 • visites guidées avr.-oct. : mar.-dim. 11h et 16h • EP.*

Villa Carlotta

La soie de Côme

L'industrie de la soie joue un rôle central dans la vie économique de la région depuis 1510. Près de 500 petites entreprises en vivent toujours aujourd'hui, fournissant notamment les stylistes de Milan. De nombreuses boutiques proposent leur production, et Côme possède, hors du centre, un musée de la Soie (via Valleggio 3 ; 031-303-180 ; www.museosetacomo.com).

6 Villa Melzi, Bellagio

Le petit musée ouvert dans l'élégant jardin de cette villa néoclassique présente des objets romains, égyptiens et étrusques *(p. 44)*. ◈ *Via P Carcano • plan C2 • 031-950-318 • ouv. mi-mars-oct. : t.l.j. 9h-18h • EP.*

7 Villa Carlotta, Tremezzo

C'est l'une des rares villas de la région ouverte à la visite. Son jardin somptueux s'élève en terrasses au-dessus du lac de Bellagio *(p. 43 et 44)*. ◈ *Tremezzo • plan C2 • 0344-40-405 • www.villacarlotta.it • ouv. avr.-sept. : t.l.j. 9h-18h ; 18-31 mars et oct. : t.l.j. 9h-11h30 et 14h-16h30 • EP.*

8 Villa Monastero, Varenna

Un centre de recherche occupe aujourd'hui le bâtiment. Le jardin s'étage jusqu'à la rive du lac *(p. 45)*. ◈ *Via IV Novembre • plan C2 • www.villamonastero.it • ouv. mars-oct. : t.l.j. 9h-19h • EP.*

Villa Monastero

9 Villa Cipressi, Varenna

La « villa des Cyprès » a
connu de nombreux
remaniements au cours de ses
600 ans d'existence ; l'édifice
actuel date pour l'essentiel du
XIXᵉ s. On peut y séjourner car il
abrite un hôtel (p. 45 et 113).
Le jardin est de taille modeste
comparé à celui, par exemple, de
la Villa Monastero voisine. ✪ Via
IV Novembre 18 • plan C2 • 0341-830-
113 • ouv. mars.-5 nov. : t.l.j. 9h-19h • EP.

10 Abbazia di Piona

Dans un cadre paisible, à la
pointe de la péninsule
d'Ogliasca, l'abbaye cistercienne
de Piona fondée au IXᵉ s. a
retrouvé sa vocation monastique.
Ses occupants proposent à la
vente une liqueur baptisée « Les
gouttes impériales ».
Des sculptures romanes ornent
les bénitiers de la petite église
achevée en 1138, ainsi que les
chapiteaux et les socles des
colonnes du cloître romano-
gothique qui date de 1232. Ce
dernier est décoré de superbes
fresques marquées d'influences
byzantines. ✪ Suivre les panneaux
depuis la route littorale • plan C2 • 0341-
940-331 • ouv. t.l.j. 9h-12h et 14h-18h
• EG.

Un jour au lac de Côme

Le matin

🕐 Les services de desserte
en bateau du lac de Côme
proposent des forfaits
permettant de découvrir
plusieurs localités, et
incluant parfois l'accès à
des villas. Cet itinéraire
d'excursion part du
principe que vous avez
déjà visité Côme et que
vous logez à **Bellagio**.

🖥 Un café ou un cappuccino
au **Caffè Rossi**, de l'autre
côté du quai, offre un bon
moyen de commencer la
journée avant d'embarquer
à 10h30 pour la **Villa
Carlotta**. Consacrez 1 h
à sa visite et à la
découverte de son jardin.

🍴 Rejoignez l'Isola Comacina
afin de vous accorder un
festin à la **Locanda**
(p. 112). Une fois votre
appétit rassasié, vous
aurez le temps de faire
une promenade digestive
parmi les ruines de l'église
de l'île avant de reprendre
le bateau pour aller à
Varenna.

L'après-midi

Poursuivez votre digestion
en grimpant jusqu'au
romantique Castello di
Vezio. Après avoir admiré
le panorama, redescendez
sur la grand-place pour
découvrir ses deux petites
églises ornées de
fresques, avant de flâner
au bord du lac dans le
jardin de la **Villa Monastero**. Concluez la journée
🍴 par un dîner au **Vecchia
Varenna** (p. 112), sur la
promenade.

À moins que vous n'ayez
prévu de passer la nuit à
Varenna, pensez à finir
votre repas avant le départ
de la dernière vedette
pour Bellagio, à 21 h.

Gauche **Bellagio** Centre **Varenna** Droite **Menaggio**

TOP 10 Localités côtières

1 Bellagio
Ce bourg plein de charme avec ses ruelles médiévales, son église romane, ses cafés et les jardins des Villas Serbelloni et Melzi *(p. 108)* est touristique.
🚸 *Plan C2 • information touristique : embarcadère, piazza Mazzini • 031-950-204 • www.bellagiolakecomo.com.*

2 Côme
En plus de son Duomo, la capitale italienne de la soie abrite de nombreuses boutiques, de petits musées et deux jolies églises (p. 39, 42 et 107).
🚸 *Plan C3 • information touristique : APT Como, piazza Cavour 17 ; 031-330-0111 • www.lakecomo.com • information locale : à droite du Duomo ; 031-264-215.*

3 Varenna
Moins fréquentée que Bellagio et reliée par bateau à toutes les principales localités, Varenna est idéale pour découvrir le lac *(p. 43 et 108-109)*. 🚸 *Plan C2 • information touristique : piazza Venini 1 • 0341-830-367.*

4 Menaggio
Cette agréable station de villégiature conserve des églises baroques. 🚸 *Plan C2 • information touristique : piazza Garibaldi 8 • 0344-32-924.*

5 Tremezzo
La Villa Carlotta *(p. 43-44 et 108)* est le fleuron de cette minuscule station. 🚸 *Plan C2 • information touristique : APT Como, piazza Cavour 17 ; 031-330-0111.*

6 Lecco
À la pointe du bras sud-est du lac, l'industrieuse Lecco est connue grâce à l'écrivain Manzoni qui situa une partie de son roman *Les Fiancés* dans son hameau d'Olate *(p. 50)*. 🚸 *Plan D3 • information touristique : via N. Sauro 6 • 0341-369-390 • www.aptlecco.com.*

7 Gravedona
Deux églises médiévales parent Gravedona : Santa Maria del Tiglio, dans le centre, et Santa Maria delle Grazie, sur la colline. 🚸 *Plan C2 • information touristique : piazza Cavour • 0344-89-637.*

8 Bellano
La façade de marbre noir et blanc de Santi Nazaro e Celso domine la piazza S. Giorgio. Une rue pentue mène au débouché d'une gorge spectaculaire.
🚸 *Plan C2 • information touristique : via V. Veneto 23 • 0341-821-124*

9 Lenno
Ne manquez pas l'église et le baptistère du XIᵉ s. À Mezzagra, au nord, une croix noire marque l'endroit où mourut Mussolini. 🚸 *Plan C2 • information tour. : via S. Stefano 7 • 0344-55-147.*

10 Civate
Au sud-ouest de Lecco, Civate borde le petit lac d'Annone. Au pied des collines se niche le monastère du XIᵉ s. de San Pietro al Monte. 🚸 *Plan D3 • monastère : 0341-319-1501 ; été 9h-16h ; hiver 9h-12h et 14h-15h • EG.*

Renseignements complémentaires sur les localités du lac **www.lakeofcomo.info** *et* **www.lagodicomo.com**

Gauche **À vélo** Centre **Véliplanchistes** Droite **Divina Commedia**

ᴛᴏᴘ10 Activités

1 Golf
Les golfeurs ne doivent pas manquer le 18-trous du Circolo Villa d'Este et le parcours du Golf Club Menaggio e Cadenabbia. ◎ *Circolo, Montorfano, 031-200-200 • Menaggio e Cadenabbia 0344-32-103.*

2 VTT
Partez à la découverte des collines de la péninsule de Bellagio, au point de rencontre des trois bras du lac. ◎ *Location : Cavalcalario Club, Gallasco, 031-964-814 • Rullo Bike, via Grandi, Côme, 031-263-025, www.rullobike.com.*

3 Planche à voile
Des vents puissants rendent la pointe nord du lac de Côme particulièrement propice à toutes les formes de voile. ◎ *Location : Windsurfcenter Domaso, 380-700-0010, www.breva.ch • Unione Sportiva Derviese, Dervio, 0341-804-159, www.usderviese.it • Circolo Vela, Pescallo, près de Bellagio, 031-950-932.*

4 Équitation
Choisissez entre selle anglaise ou western pour partir en randonnée dans les vallées situées entre Menaggio et Porlezza. ◎ *Écuries : Cenuta La Torre, 0344-31-086.*

5 Escalade
Le Club alpin de Lecco vous renseignera sur les possibilités offertes par la région. ◎ *CAI., via Papa Giovanni XXIII, Lecco • 0341-363-588, www.cailecco.it*

6 Canoë-kayak
Découvrez à loisir les secrets des rives du lac. ◎ *Location : Cavalcalario Club (p. 110) • Ostello la Primula (p. 112) • Canottieri Lario, viale Puecher 6, Côme, 031-574-720 • Società Canottieri, via Nullo 2, Lecco, 0341-364-273, www.canottieri.la.it.*

7 Le Divina Commedia de Bellagio
On pénètre dans le bar le plus original de Bellagio par le « purgatoire » dédié à la conversation, entre le « paradis » du premier étage où des angelots s'ébattent au plafond et l'« enfer » en papier mâché du sous-sol. ◎ *Salita Mella 43-45 • 031-951-680 • www.divinacommedia.com.*

8 L'Hemingway de Côme
Ce curieux petit pub et restaurant proche du port a baptisé ses cocktails d'après les livres du célèbre auteur. ◎ *Via Juvara 16 • www.pub.hemingway.com.*

9 Le Farenight de Côme
Le jeudi, on peut dîner dans cette boîte de nuit avant de danser toute la nuit. Le samedi, elle accueille souvent des groupes ◎ *Viale Innocenzo XI 73.*

10 Le Lido Giardino de Menaggio
Profitez de la plage privée et de la piscine. Le vendredi et le samedi soir, la salle de banquet se transforme en discothèque ouverte sur le parc. ◎ *Via Roma 11 • 0344-32-007 • www.lidogiardino.com.*

Barchetta, Bellagio

Barchetta, Bellagio

🔟 Où manger

1 Le Sette Porte, Côme
Le « Sept Portes » sert une cuisine très originale (*risotto* à la fraise, poulet au poivre et à l'orange) dans un décor conjuguant modernisme et pierres apparentes. ✆ *Via A Diaz 52a • 031-267-939 • ferm. dim. • €€€€€*

2 Ristorante Sociale, Côme
Il séduit les joueurs de l'équipe de football locale comme les visiteurs de passage et offre l'un des meilleurs rapports qualité-prix du lac. ✆ *Via Maestri Comacini 8 • 031-264-042 • €€.*

3 Barchetta, Bellagio
Dans une station de villégiature curieusement pauvre en bons restaurants, la « Petite Barque » à l'atmosphère accueillante se distingue grâce à ses spécialités locales bien préparées. ✆ *Salita Mella 13 • 031-951-389 • ferm. mar. (et tous les jours de semaine en nov.-déc.) • €€€.*

4 Nicolin, Lecco
Menus gastronomiques et ambiance chaleureuse dans le village de Maggianico, à la sortie sud de la ville. ✆ *Via Ponchielli 54 • 0341-422-122 • ferm. mar. • €€€€.*

5 Crotto dei Platani, Brienno
Dans les vestiges d'un château, le décor allie rusticité et élégance. Une terrasse ajoute au plaisir offert par des mets régionaux épicés d'une pointe de créativité. ✆ *Via Regina 73 • 031-814-038 • ferm. lun. et mer. midi, mar. • €€€€.*

6 Vecchia Varenna, Varenna
Le plus romantique des restaurants du lac met les poissons locaux en vedette. Il sert aussi des plats de viande et des pâtes. ✆ *Contrada Scoscesa 10 • 031-830-793 • ferm. lun. et janv. • €€€€.*

7 Locanda dell'Isola Comacina, Ossuccio
Le menu unique n'a pas varié depuis 1947 : *antipasto*, truite, poulet, fromage, dessert et vin. Pour le café, le propriétaire se livre à la petite cérémonie qui a fondé son succès. ✆ *Isola Comacina • 0344-55-083 • pas de cartes de paiement • ferm. nov.-fév., mar. au printemps • €€€€€.*

8 Ostello La Primula, Menaggio
Les plats en libre-service de l'auberge de jeunesse sont plutôt bons. Chacun fait sa propre vaisselle. ✆ *Via IV Novembre 106 • 0344-32-356 • www.menaggio hostel.com • pas de cartes de paiement • ouv. mi-mars-déb.-nov. • €.*

9 Vecchia Menaggio
Cette *trattoria* et pizzeria discrète a les faveurs de la population locale. ✆ *Via al Lago 13, Menaggio • 0344-32-082 • ferm. mar. • €.*

10 Trattoria S. Stefano, Lenno
Les portions de pâtes et les plats de poisson sont généreux. Le solarium ménage une belle vue. ✆ *Piazza XI Febbraio 3 • 0344-55-434 • ferm. lun. • €€.*

Remarque : sauf indication contraire, tous les restaurants acceptent les cartes de paiement et proposent des plats végétariens.

Catégories de prix

Prix par nuit pour	€ moins de 110 €
une chambre double	€€ 110 €-160 €
avec petit déjeuner	€€€ 160 €-210 €
(s'il est inclus), taxes	€€€€ 210 €-270 €
et service compris.	€€€€€ plus de 270 €

Gauche **Grand Hotel Menaggio** Droite **Villa Cipressi, Varenna**

Hébergement

1 Le Due Corti, Côme
En dehors des remparts, cet ancien relais de poste abrite un hôtel depuis 1992, ainsi qu'un excellent restaurant et un bar apprécié. *Piazza Vittoria 15 • 031-328-111 • hotel duecorti@virgilio.it • ferm. nov.-fév. • €€.*

2 Villa Flori, Côme
Malgré une rénovation complète en 1992, cette villa de 1860 au bord du lac a conservé une partie de son luxueux décor d'origine. *Via Cernobbio 12 • 031-33-820 • www.hotelvillaflori.com • ferm. déc.-fév. • €€€€.*

3 Grand Hotel Villa Serbelloni, Bellagio
Transformée en hôtel en 1873, la plus élégante résidence d'été de Bellagio possède des chambres somptueuses et différentes, une piscine couverte et un centre de soins de beauté. *Via Roma-piazza Mazzini • 031-950-216 • www.villaserbelloni.com • ferm. déc.-mars • €€€€€.*

4 Du Lac, Bellagio
Les charmantes chambres de cet hôtel familial offrent une belle vue. *Piazza Mazzini 32 • 031-950-320 • www.bellagiohoteldulac.com • ferm. mi-nov-Pâques • €€€.*

5 Suisse, Bellagio
Les dix chambres sont au-dessus d'un restaurant. *Piazza Mazzini 8 • 031-950-335 • www.bellagio.co.nz/suisse • ferm. déc.-fév. • pas de climatisation • €€.*

6 Villa d'Este, Cernobbio
Cette somptueuse villa Renaissance est régulièrement classée parmi les dix meilleurs palaces du monde et attire depuis longtemps têtes couronnées et célébrités. Antiquités, soieries, marbre et acajou composent un décor dont le raffinement n'est pas sans influence sur les prix. *Cernobbio • 031-3481 • www.villadeste.it • ferm. mi-nov-fév. • €€€€€.*

7 Milano, Varenna
Cette adorable *pensione* devrait devenir un hôtel de charme. *Via XX Settembre 29 • 0341-830-298 • www. varenna.net • pas de climatisation • fer. nov.-mars • €€.*

8 Villa Cipressi, Varenna
Cette villa du XVIe s. offre un hébergement remarquable pour les tarifs pratiqués *(p. 109)*. *Via IV Novembre 18 • 0341-830-113 • www.villacipressi.it • climatisation limitée • ferm. nov.-mars • €.*

9 Grand Hotel Menaggio
Les chambres sont modernes dans cet hôtel Belle Époque. *Via IV Novembre 69 • 0344-30-640 • www.grandhotel menaggio.com • ferm. nov.-janv. • €€€.*

10 Grand Hotel Tremezzo
Le jardin de ce palace de 1910 soutient la comparaison avec celui de la Villa Carlotta voisine. *Via Regina 8 • 0344-42-491 • www.grand hoteltremezzo.com • ferm. nov.-fév. • €€€€.*

 Sauf indication contraire, les hôtels acceptent les cartes de paiement et toutes les chambres disposent d'une salle de bains et sont climatisées. 113

Lac de Garde

L e lac de Garde, à sa pointe nord, est particulièrement apprécié des sportifs qui viennent glisser sur ses eaux, ou se livrer dans les Préalpes à des activités plus extrêmes comme le parapente et le canyoning. Les amateurs d'histoire ne manqueront pas les vestiges des deux importantes villas romaines de Sirmione et Desenzano, ni les châteaux médiévaux de

Torri del Benaco, Malcesine, Vallegio et Sirmione. D'opulentes résidences d'été aux jardins verdoyants témoignent de l'attrait qu'exerce cette région depuis le XVIIIᵉ s. Elle séduisit des grands noms comme Goethe, Byron et D.H. Lawrence, et c'est là que Mussolini s'accrocha au pouvoir après le débarquement allié de 1943.

Botanico Hruska,
Gardone Riviera

🔟 Les sites

1 Giardino Sigurtà

2 Gardaland

3 Grotte di Catullo, Sirmione

4 Rocca Scagliera, Sirmione

5 Villa Romana, Desenzano

6 Isola di Garda

7 Il Vittoriale, Gardone Riviera

8 Giardino Botanico Hruska, Gardone Riviera

9 Torri del Benaco

10 Castello di Arco, près de Riva del Garda

Giardino Sigurtà

1 Giardino Sigurtà

Le comte Carlo Sigurtà a passé 40 ans de sa vie à créer sur un flanc de colline aride un parc de 50 ha. Sillonné par 7 km de sentiers, il est considéré comme l'un des plus beaux espaces verts du monde. Le long de la bordure ouest, à un endroit souvent négligé par les visiteurs, des animaux courent en liberté dans des enclos. ✆ *À la sortie de Vallegio • plan G5 • 045-637-1033 • www. sigurta.it • ouv. mars–nov. : t.l.j. 9h-18h • EP.*

2 Gardaland

Le plus grand parc de loisirs d'Italie renferme des attractions foraines, des restaurants et un jardin pour les tout-petits, et propose des spectacles sur glace et de dauphins *(p. 63)*. Sa mascotte est un dragon nommé Prezzemolo (« Persil »). ✆ *Route littorale, au nord de Peschiera • plan G4 • 045-644-9777 • www.gardaland.it • ferm. nov.-mars (sauf Noël-Nouvel An) • EP.*

3 Grotte di Catullo, Sirmione

Les « grottes de Catulle » n'ont pas de rapport avec le célèbre poète antique, même s'il a bien séjourné dans la région, car leur construction remonte au Iᵉʳ s. apr. J.-C., alors qu'il mourut vers 54 av. J.-C. Le nom, inspiré par l'aspect du site au Moyen Âge, noyé sous la végétation, est trompeur. Il ne s'agit pas de grottes mais des vestiges de la plus grande villa romaine connue en Italie du Nord. À l'extrémité de la presqu'île de Sirmione, les ruines offrent un large panorama du lac. ✆ *Via Catullo • plan G4 • visites guidées seul. • 030-916-157 • ouv. mar.- dim. 9h-19h (mi-oct.-fév. 8h30-16h30) • EP.*

4 Rocca Scagliera, Sirmione

Au point le plus étroit de la longue péninsule de Sirmione, le château des Scaligeri entrepris au XIIIᵉ s. conserva sa fonction militaire jusqu'au XIXᵉ s. Il garde toujours l'entrée de la cité la plus élégante du lac, car on ne peut y pénétrer qu'en franchissant d'abord la douve sur l'un de ses ponts-levis, puis une porte fortifiée. Une promenade sur les remparts et au sommet du donjon ménage de très belles vues. ✆ *Piazza Castello • plan G4 • 030-916-468 • ouv. mar.-dim. 9h-19h (hiver, 8h30-16h30) • EP.*

Entrée de Gardaland

Il Vittoriale, Gardone Riviera

5 Villa Romana, Desenzano

Cette villa bâtie au Ier s.
av. J.-C. conserve des sols en
mosaïque datant principalement
des IVe et Ve s., les derniers
temps de l'Empire romain
d'Occident. La région était alors
christianisée, comme le Christ
gravé sur un récipient en verre le
rappelle. ◈ Via Crocefisso 22 • plan G4
• 030-914-3547 • ouv. mar.-dim. 8h30-
19h30 (mi.-oct.-fév. jusqu'à 17h) • EP.

6 Isola di Garda

François d'Assise, Antoine
de Padoue et Bernardin de
Sienne fréquentèrent le
monastère qui se dressait jadis
sur la plus grande île du lac de
Garde. Napoléon le fit démolir et
le remplaça, entre 1890 et 1903,
par une villa néogothique de
style vénitien entourée de jardins
à l'italienne. Une visite guidée a
lieu deux fois par semaine. Son
prix élevé comprend le trajet en
bateau et une collation. ◈ Bateaux
depuis Barbarano • plan G4 • 0365-62-
294 • www.isoladelgarda.com • ouv. mai-
6 oct. : mar. et jeu. 9h40 • EP (réserver).

7 Il Vittoriale, Gardone Riviera

Le poète, soldat et aventurier
Gabriele d'Annunzio transforma
la villa où il passa les dernières
années de sa vie, à partir de
1921, en un très kitsch
monument à sa gloire
(p. 45). ◈ Plan G4 • 0365-
296-511 • www.vittoriale.it
• ouv. avr.-sept. : mar.-dim.
9h30-19h ; oct.-mars : mar.-
dim. 9h-13h et 14h-17h • EP.

8 Giardino Botanico Hruska, Gardone Riviera

Malgré sa taille
réduite, ce ravissant
jardin botanique
aménagé à flanc de
colline en terrasses abrite plus
de 2 000 espèces végétales de
tous les continents (p. 45).
◈ Gardone Riviera • 0336-410-877
• ouv. 15 mars-15 oct. : t.l.j. 9h-18h • EP.

9 Torri del Benaco

Cette petite ville joua un
temps le rôle de capitale de la
région et avait suffisamment
d'importance au XIVe s. pour que
les Scaglieri de Vérone, qui
contrôlaient une grande part du
lac de Garde, y fissent édifier un
puissant château. Il abrite
aujourd'hui un musée consacré à
l'histoire des environs, y compris

Giardino Botanico Hruska

Castello di Arco

les gravures rupestres qui ont rendu célèbre le Val Camonica (p. 47). On peut en découvrir des exemples sur site en prenant la direction de Crer depuis la route principale, puis, arrivé au village, en suivant un sentier pendant 5 mn jusqu'à un endroit où le rocher apparaît sous la végétation. ✆ plan G4 • Château : viale Fratelli Lavanda 2 • ouv. juin-sept. : 9h-13h et 16h30-19h30 ; avr.-mai et oct. : 9h30-12h30 • EP.

10 Castello di Arco, près de Riva del Garda

Perchée au-dessus de la ville, cette forteresse du XIᵉ s. dont il ne reste pratiquement que des ruines renferme dans une salle dégagée en 1986 des fresques de la fin du XIVᵉ s. Celles-ci montrent des nobles jouant à des jeux de plateau et à la guerre. ✆ Arco • plan H2 • ouv. avr.-sept. : 10h-18h ; mars et oct. : 10h-16h ; nov.-fév. : 10h-15h • EP.

Champ de bataille

Du XIIIᵉ au XVᵉ s., Venise disputa à Milan le contrôle de la Lombardie (p. 32). La ville de Torbole (p. 120) fut le site, en 1439, d'une grande victoire des Milanais. Ceux-ci surprirent 26 navires de la Sérénissime République qui venaient de remonter l'Adige, puis de traverser par voie de terre jusqu'au lac de Garde, afin de ravitailler la ville de Brescia assiégée.

Deux jours au lac de Garde

Premier jour

🕐 À moins que vous ne soyez venu fendre les flots à **Riva** (p. 120), choisissez un lieu de séjour au sud du lac. **Sirmione** (p. 120) offre à la fois charme et animation.

Le premier jour, arrêtez-vous à **Desenzano** (p. 120) pour voir la **Villa Romana,** avant de rejoindre Sirmione elle-même. Marchez jusqu'à la pointe de la péninsule pour vous promener parmi les ruines des **Grotte di Catullo** (p. 117). En rentrant en ville, faites un détour à droite pour les fresques médiévales de San Pietro.

Frayez-vous un chemin dans la foule qui se presse dans le centre pour un coucher de soleil depuis la **Rocca Scaligera** (p. 117).

Après une *passeggiata* (promenade du soir), prenez la direction du **Vecchia Lugana** (p. 122) pour un dîner raffiné.

Second jour

Longez le lac en voiture jusqu'à **Gardone Riviera** (p. 120) pour visiter la **Villa Il Vittoriale,** où s'exprima la folie des grandeurs de Gabriele d'Annunzio, puis déjeunez en terrasse à la **Villa Fiordaliso** (p. 122).

Flânez dans les allées du **Giardino Botanico Hruska** avant de rentrer à Sirmione – si vous y avez votre hébergement – ou de poursuivre au nord afin de découvrir les agréables stations de villégiature de **Limone sul Garda** et **Riva del Garda** (p. 120).

Visiter la région – Lac de Garde

Gauche **Riva del Garda** Centre **Malcesine** Droite **Torbole**

TOP 10 Localités côtières

1 Sirmione
La ville la plus pittoresque du lac s'étend sur une presqu'île, et renferme les ruines d'une villa romaine et un château médiéval bien conservé *(p. 117).* ⊗ *Plan G4 • information touristique : viale Marconi 2 (juste avant l'entrée de la ville) • 030-916-245 • www.comune.sirmione.bs.it.*

2 Desenzano
La principale attraction de cette grande ville animée, fondée à l'âge de bronze, est une villa romaine *(p. 118).* ⊗ *Plan G4 • information touristique : via Porto Vecchio 34 • 030-914-1510.*

3 Salò
En 1943, Mussolini établit la capitale de la république qu'il dirigeait pour les nazis dans cette station balnéaire. Il s'installa dans le Duomo du XVᵉ s. ⊗ *Plan G4 • information touristique : Lungolago Zanardelli (dans le Palazzo Comunale) • 0365-21-423.*

4 Gardone Riviera
Gardone Riviera connaît une popularité dont témoignent le jardin Hruska et de somptueuses villas comme Il Vittorial *(p. 118).* ⊗ *Plan G4 • information touristique : corso Repubblica 8 • 0365-20-347.*

5 Toscolano-Maderno
Ces villes contiguës partagent une belle plage. Romane, Sant'Andrea conserve des fresques estompées. ⊗ *Plan G4 • information touristique : Lungolago Zanardelli, 18 • 0365-641-330.*

6 Limone sul Garda
L'anse où se niche Limone abrite une longue plage, un petit port et des douzaines d'hôtels. ⊗ *Plan G3 • information touristique : Lungolago Zanardelli, 18, Maderno • 0365-641-330 • www.limone.com.*

7 Riva del Garda
Cette station très courue a gardé deux édifices médiévaux : une tour du XIIIᵉ s. et un château. À l'intérieur des terres, Arco s'étend au pied d'une forteresse en ruine *(p. 119).* ⊗ *Plan H3 • information touristique : Giardini di Porta Orientale 8 • 0464-554-444.*

8 Torbole
Entrée dans l'histoire en 1439 *(encadré p.119)*, Torbole est aujourd'hui surtout réputée pour les sports nautiques. ⊗ *Plan H3 • information touristique : via Lungolago Verona 19 • 0464-505-177.*

9 Malcesine
Les croquis que Goethe fit de ce château lui valurent d'être soupçonné d'espionnage au profit des Autrichiens. Une salle est consacrée au très célèbre poète romantique. ⊗ *Plan H3 • information touristique : via Capitanato 6-8 • 0457-400-044.*

10 Bardolino
Ce village renommé pour son vin, célébré par un musée, renferme deux magnifiques églises romanes. ⊗ *Plan G4 • information touristique : p. Aldo Moro • 045-721-0078 • www.museodelvino.it.*

Renseignements complémentaires sur les localités côtières www. bresciaholiday.com, www.aptgardaveneto.com et www.garda.com

Gauche **Planche à voile** Centre **Baignade dans le lac** Droite **Escalade**

🔟 Activités

1 Planche à voile
Chaque été, des véliplanchistes originaires de l'Europe entière viennent profiter des conditions particulièrement favorables qui règnent à la pointe nord du lac. Ils peuvent louer des planches à voile à Riva del Garda, Torbole et Sirmione.

2 Plongée sous-marine
Les eaux sont relativement claires et recèlent des surprises, dont un *Christ* englouti près de Riva. L'équipement est disponible dans les stations nautiques.

3 Bicyclettes
Vous pourrez vous attaquer aux reliefs du nord ou partir à la découverte de la plaine du sud ou flâner au bord de l'eau.

4 Escalade et parapente
Deux organisations d'Arco, Guide Alpine et Multisport Fun3, proposent un large éventail de sports extrêmes et de montagne, dont l'alpinisme et le canyoning. Les amateurs de parapente peuvent aussi s'adresser au Paragliding Club de Malcesine. ✆ *Guide Alpine, 0464-507-075, www.guidealpinearco.com • Multisport Fun3, 0464-531-080, ww.multisport3.com • Paragliding Club, 045-740-0152.*

5 Golf
Le terrain de golf de Garda n'est pas très bon, mais il existe plusieurs autres parcours sur la rive sud-ouest, et un sur la rive est. ✆ *Garda Golf, Soiano del Lago, 0365-674-707 • Golf Bogliaco, Toscolano, 0365-643-006 • Ca'Degli Ulivi, Torri del Benaco, 045-627-9030.*

6 Fura Club, Lonato
C'est l'une des meilleures boîtes de nuit d'Italie du Nord. Un écran entoure la piste et permet aux danseurs de se contempler. ✆ *Plan G4 • via Lavagnone 13 • 030-913-0652 • www.fura.it.*

7 Disco Bar Caffè Latino, Riva del Garda
Cette discothèque domine le port de la sation balnéaire et en donne vue par d'immenses fenêtres. ✆ *Plan H3 • via Monte Oro 14 • 0464-5550785 • ouv. ven.-sam.*

8 Kursaal, Sirmione
Une ambiance rétro, entre discothèque et dancing, règne à la Kursaal. ✆ *Plan G4 • via S. Martino della Battaglia, Lugana • 030-919-163.*

9 Dehor, Lonato
À 3 km de l'autoroute, ce club de style méditerranéen organise une fois par mois une soirée à thème. ✆ *Plan G4 • via Fornace dei Gorghi 2 • 030-991-9948 • ouv. ven., sam. et dim.*

10 Sesto Senso Club, Desenzano
Des rayons laser parcourent la piste de danse sur des rythmes house, pop et Europop. ✆ *Plan G4 • via dal Molin 99 • 030-914-2684.*

Catégories de prix

Pour un repas avec entrée, plat, dessert et une demi-bouteille de vin (ou repas équivalent), taxes et service compris.

€ moins de 20 €
€€ 20 €-30 €
€€€ 30 €-40 €
€€€€ 40 €-50 €
€€€€€ plus de 50 €

Gauche **Vecchia Lugana** Droite **Gemma**

TOP 10 Où manger

1 Esplanade, Desenzano

Un équilibre parfait entre création et tradition, du poisson tout frais pêché, de délicieux fromages de montagne, plus de 800 vins en cave et une vue superbe du lac depuis la terrasse… Que rêver de mieux ? ◈ Via Lario 10 • plan G4 • 030-914-3361 • ferm. mer. • €€€€€.

2 Cavallino, Desenzano

Gianfranco et Ornella Dallai proposent de somptueuses recettes de poisson et de volaille, de fabuleux desserts et des menus « dégustation ». ◈ Via Gherla 30 • plan G4 • 030-912-0217 • ferm. mar. midi et lun. • €€€€€.

3 Villa Fiordaliso, Gardone Riviera

Une villa historique transformée en hôtel (p. 123) sert des mets soignés qui tirent un parti original de la tradition gastronomique italienne (p. 69). ◈ Via Nanardelli 150 • plan G4 • 0365-20-158 • ferm. lun. et mar. midi • €€€€€.

4 Vecchia Lugana, Sirmione

Dans une ancienne ferme, la sophistication des plats régionaux s'accorde à celle de l'aménagement intérieur. ◈ Piazzale Vecchia Lugana 1 • plan G4 • 030-919-012 • ferm. lun. et mar. • €€€€€.

5 La Rucola, Sirmione

Les gastronomes apprécient l'établissement de la famille Bignotti pour ses spécialités créatives à base de légumes de saison, et de viandes et de poissons locaux. ◈ Via Strentelle 3 • plan G4 • 030-916-326 • ferm. ven. midi et jeu. • €€€€€.

6 Vecchia Malcesine, Malcesine

Rafraîchie par la brise, la terrasse panoramique domine la ville. ◈ Via Pisort 6 • plan H3 • 045-740-0469 • ferm. mer. • €€€€€.

7 Gemma, Limone

Cette trattoria accueillante sert des plats simples de pâtes et de poisson grillé. ◈ Piazza Garibaldi 12 • plan G3 • 0365-954-014 • ferm. mer. • €€€.

8 Birreria Spaten, Riva

Riva del Garda possède une brasserie « autrichienne » : saucisses et escalopes dominent la carte. ◈ Via Maffei 7 • plan H3 • 0464-553-670 • ferm. mer. • €€€.

9 Bella Napoli, Riva

Le couple qui tient cet établissement très fréquenté depuis plus de 30 ans est sicilien, mais ses pizzas au feu de bois sont napolitaines. ◈ Via Diaz 29 • plan H3 • 0464-552-139 • ferm. mer. • €€.

10 Gardesana, Torri del Benaco

Mieux vaut réserver sa table sur la terrasse dominant le port pour profiter des plats régionaux et internationaux proposés par cet hôtel de luxe. ◈ Piazza Calderini 20 • plan G4 • 045-722-5411 • €€€€.

Remarque : sauf indication contraire, tous les restaurants acceptent les cartes de paiement et proposent des plats végétariens.

Catégories de prix

Prix par nuit pour une chambre double avec petit déjeuner (s'il est inclus), taxes et service compris.	€ moins de 110 €
	€€ 110 €-160 €
	€€€ 160 €-210 €
	€€€€ 210 €-270 €
	€€€€€ plus de 270 €

Gauche **Grand Hotel Fasano** Droite **Sole**

⑩ Hébergement

1 Park Hotel, Desenzano

Cet hôtel sans prétention au décor à la fois moderne et rustique possède des chambres donnant sur le lac. ✆ *Lungolago Cesare Battisti 17 • plan G4 • 030-914-3494 • www.parkhotelonline.it • €€.*

2 Villa Fiordaliso, Gardone Riviera

Après avoir dîné sur la terrasse *(p. 122)*, passez la nuit dans la suite où se réfugièrent Mussolini et sa maîtresse. ✆ *Via Zanardelli 150 • plan G4 • 0365-20-158 • www.villafiordaliso.it • €€€€.*

3 Grand Hotel Fasano, Gardone Riviera

Dans le jardin au bord du lac, la Villa Principe, un ancien pavillon de chasse, offre encore plus d'intimité. ✆ *Gardone Riviera • plan G4 • 0365-290-220 • www.grandhotel-fasano.it • ferm. nov.-mars • pas de cartes de paiement • climatisation dans certaines chambres • €€€.*

4 Park Hotel Villa Cortine, Sirmione

Le bâtiment néoclassique domine le vaste jardin et la plage privée. Grand luxe et excellente cuisine. ✆ *Via Grotte 6 • plan G4 • 030-990-5890 • www.hotelvillacortine.com • ferm. 21 oct.-27 mars • €€€€€.*

5 Grifone, Sirmione

Cet agréable hôtel bon marché possède sa propre plage privée. ✆ *Via Bocchio 4 • plan G4 • 030-916-014 • pas de cartes de paiement • pas de climatisation • €.*

6 Sole, Riva del Garda

Un restaurant acceptable, un excellent rapport qualité-prix et des vélos prêtés aux hôtes font du Sole l'un des meilleurs choix à Riva. ✆ *Piazza 3 Novembre 35 • plan H3 • 0464-552-686 • www.hotelsole.net • ferm. nov.-mi-mars • climatisation dans certaines chambres • €€.*

7 Du Lac et Du Parc, Riva del Garda

Cette luxueuse retraite possède un centre de remise en forme, une plage privée et un petit parc avec des courts de tennis et un minigolf. ✆ *Viale Rovereto 44 • plan H3 • 0464-551-500 • www.hoteldulac-riva.it • €€€.*

8 Le Palme, Limone sul Garda

La plupart des chambres (style vénitien) dominent le lac. ✆ *Via Porto 36 • plan G3 • 0365-954-681 • www.shotels.it • ferm. nov.-Pâques • €€.*

9 Malcesine, Malcesine

Le plus vieil hôtel de la ville se dresse sur le port. Les prix, très accessibles, comprennent la demi-pension. ✆ *Piazza Pallone 4 • plan H3 • 045-740-0173 • pas de climatisation • ferm. nov.-mars • €.*

10 Romantik Hotel Laurin, Salò

Cette villa de 1905 jaune canari possède un gracieux décor Art nouveau. Les propriétaires louent des chambres spacieuses. ✆ *Viale Landi 9 • plan G4 • 036-522-022 • www.laurinsalo.com • €€€€.*

Sauf indication contraire, les hôtels acceptent les cartes de paiement et toutes les chambres disposent d'une salle de bains et sont climatisées.

Gauche **Crémone** Centre **Da Candida, lac de Lugano** Droite **Leoncino Rossi, Mantoue**

Villes et petits lac

L e Nord-Est de l'Italie renferme plusieurs plans d'eau de taille plus modeste que les lacs Majeur, de Côme et de Garde. S'ils n'offrent pas le même choix d'hébergement et d'activités nautiques, ils permettent en haute saison de profiter d'une atmosphère plus paisible. Les villes de la région ne manquent pas non plus d'intérêt. Bergame, Mantoue et Brescia, en particulier, séduiront les amateurs d'architecture. Sabbioneta est un exemple rare de cité Renaissance entièrement née de la volonté d'un prince. Enfin, l'héritage des plus grands luthiers de l'histoire reste vivant à Crémone.

Les sites

1 Lac d'Orta
2 Lac de Varèse
3 Lac de Lugano
4 Bergame
5 Lac d'Iseo
6 Lac d'Idro
7 Brescia
8 Mantoue
9 Sabbioneta
10 Crémone

Mantoue

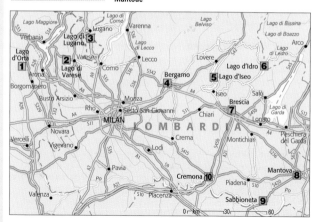

1 Lac d'Orta

Un *Sacro Monte* dont les vingt chapelles ornées de statues polychromes datent de 1591 à 1770 domine la plus grande localité du lac : Orta San Giulio. Le bourg médiéval est fermé aux voitures. Des bateaux desservent la minuscule Isola San Giulio où se dresse une basilique romane. À la pointe nord du plan d'eau, Omegna entretient une tradition artisanale séculaire dont le Forum Omegna retrace l'histoire. Les petites entreprises de la région ont donné naissance à des géants des articles ménagers comme Alessi et Bialetti *(p. 58).*

🅰 *Plan A3 • information touristique : via Panoramica, Orta S. Giulio, 0322-905-163 ; www.distrettolaghi.it • Forum Omegna : www.forumomegna.org ; EP.*

2 Lac de Varèse

Le lac de Varèse, avec ceux de Monate, de Comábbio et de Biandronno, a beaucoup inspiré les peintres de l'école paysagiste lombarde du XVIIIᵉ s. La région a peu changé depuis malgré l'installation de quelques usines. Elle garde un charme serein avec ses églises romanes et ses plans d'eau où se reflète le ciel contre la toile de fond des Préalpes. Les routes suivent rarement les rives et invitent à la découverte des villages. Le Musée archéologique de la ville de Varèse

Lac de Lugano

expose des objets préhistoriques retrouvés sur le petit Isolino Virginia, accessible depuis Biandronno entre juin et septembre. 🅱 *Plan B3 • information touristique : via C. Carrobbio 2, Varèse • 0332-283-604*
• www.varesottoturismo.com.

3 Lac de Lugano

Le lac de Lugano s'étend en partie en Suisse, et sa principale station de villégiature, Campione d'Italia, est une enclave italienne en territoire helvétique. Réputée pour son casino, elle possède une atmosphère un peu tapageuse, avec ses dizaines de pizzerias. Au sud, à la sortie de Melide, Swiss Miniatur est un parc d'attractions délicieusement kitsch. Entre ses 120 maquettes au vingt-cinquième d'édifices, des trains miniatures circulent sur 3,5 km de rails. 🅲 *Plan B2-C2 • information touristique : Campione d'Italia, via Volta 3, 091-649-5051 ; www.campioneitalia.com • Swiss Miniatur, près de Melide, www.swissminiatur.ch ; EP.*

Lac de Varèse

Piazza Vecchia, Bergame

4 Bergame

Avec ses rues médiévales, ses boutiques de mode et ses églises Renaissance, Bergame fait partie des villes à ne pas manquer *(p. 26-27)*. ✎ *Plan D3.*

5 Lac d'Iseo

Bordant le plus joli des petits lacs du Nord de l'Italie, la ville d'Iseo a acquis une vocation touristique ; les visiteurs y disposent d'équipements de sports nautiques. Plus au nord, à Lovere, la collection de peintures de la Galleria Taldini comprend des œuvres de Jacopo Bellini, le Tintoret et Tiepolo. À la sortie de Pisogne, l'église Santa Maria della Neve abrite un splendide cycle de fresques exécutées par Romanino entre 1532 et 1534 (si le sanctuaire est fermé, demandez au café installé dans le cloître voisin). ✎ *Plan E3-4*
• *Information touristique : via Marconi 26, Iseo, 030-980-209* • *Galleria Taldini, Lovere, plan F3 ; avr.-oct. mar.-dim.* • *EP.*

6 Lac d'Idro

Apprécié pour la pêche à la truite, la voile et la planche à voile, ainsi que la pratique du ski dans les montagnes proches, le petit lac d'Idro compte parmi ses trésors historiques le château du XVIe s. d'Anfo et les fresques du XVe s. de l'église Sant'Antonio. ✎ *Plan G3.*

7 Brescia

Au cœur de ses quartiers industriels, le deuxième pôle économique de Lombardie cache une vieille ville moyenâgeuse et Renaissance où subsistent les vestiges d'un temple et d'un théâtre romains. Dans l'ancien monastère San Salvatore e Santa Giulia, l'excellent Museo della Città présente une collection d'objets préhistoriques, romains et médiévaux. La Pinacoteca Tosio Martinengo met en avant les artistes locaux de la Renaissance, dont Romanino et Moretto. ✎ *Plan F4* • *information touristique : corso Zanardelli 38, 030-43-418* • *www.iat.brescia@tiscali.it* • *Museo della Città, via dei Musei* • *EP.*

8 Mantoue

La ville où Andrea Mantegna et Giulio Romano créèrent certains de leurs plus grands chefs-d'œuvre fait aussi partie des visites à ne pas manquer *(p. 28-29)*. ✎ *Plan H6.*

Gauche **Lac d'Iseo** Droite **Piazza del Comune, Crémone**

Mantoue

Sabbioneta

9 Le duc Vespasien Gonzague (1531-1591) créa de toutes pièces cette petite ville fortifiée conforme aux idéaux de la Renaissance. Un billet unique donne accès à tous les principaux sites : le Palazzo del Giardino (palais d'été) ; la Galleria aux peintures en trompe-l'œil et le Teatro all'Antica, le premier bâtiment construit pour accueillir un théâtre depuis l'Antiquité. ◈ *Plan G6 • information touristique : piazza d'Armi 1 • 0375-221-044 • www.comune.sabbioneta.mn.it.*

Crémone

10 Colonie romaine à partir de 218 av. J.-C., Crémone est surtout connue pour ses luthiers, dont Antoine Stradivarius. Dans le Palazzo Comunale, la Raccolta dei Violini abrite des violons des XVIIe et XVIIIe s. parmi les plus précieux du monde. Le Museo Stradivariano initie aux techniques de fabrication. Des fresques du début du XVIe s. décorent le Duomo romano-lombard reconstruit à partir de 1117. ◈ *Plan E6 • information tour. : piazza del Comune 5 • 0372-23-233 • www.aptcremona.it.*

Deux jours entre Garde et Côme

Premier jour

Les petits lacs et les villes de la région sont trop éparpillés pour être visités en deux jours, mais une flânerie en voiture, du lac de Garde au lac de Côme, permet de découvrir certains des plus intéressants.

Prenez l'*autostrada* A4 pour passer la matinée dans les musées et le centre ancien de **Brescia.** Après avoir déjeuné au **Due Stelle** (p. 129), poursuivez jusqu'au **lac d'Iseo.** Longez la rive orientale, et ne manquez pas les étranges formations rocheuses près de Zone, les fresques de Romanino à Pisogne et le petit musée de Lovere.

Nous vous recommandons l'**I Due Roccoli** (p. 148) pour passer la nuit, ou au moins dîner (p. 129).

Second jour

Au matin, prenez au nord la direction du **Val Calmonica** (p. 47) et de ses gravures rupestres. Revenez ensuite au sud, et tournez à l'ouest à Lovere pour rejoindre **Bergame.**

Réservez une chambre d'hôtel, et consacrez l'après-midi à la ville. Ne manquez pas la piazza Vecchia, la chapelle Colleoni Renaissance et la Galleria dell'Accademia Carrara. Profitez aussi des boutiques, des cafés et des bars à vin.

Concluez la journée par un repas à la bien nommée **Antica Hosteria del Vino Buono** (« Vieille Auberge du bon vin », p. 129).

Gauche **I Portici del Comune** Droite **Enseigne de l'Oblò**

⓾ Boutiques, cafés et vie nocturne

1 Lagostina, Crusinallo-Omegna, lac d'Orta

Le célèbre designer vend ici ses articles ménagers avec des réductions de 30 à 50 %. Dans la même rue, vous obtiendrez des avantages similaires chez ses concurrents Bialetti (n° 106), Fratelli Piazza Effepi (n° 242) et Alessi (via privata Alessi). Le second choix *(sformati)* se révèle encore plus économique.
Ⓢ *Plan A3 • via IV Novembre 39.*

2 Armani Factory Store, Vertemate

On vient ici profiter de remises de 30 à 50 % sur les tenues pour hommes et femmes du couturier. Ⓢ *Plan D3-4 • Strada Provinciale per Bergamo • 031-887-373.*

3 Vineria Cozzi, Bergame

Ce bar à vin à l'ancienne possède une arrière-salle plus intime et une petite cour intérieure verdoyante. Il propose d'excellents snacks *(p. 65)*.
Ⓢ *Plan D3 • via Colleoni 22 • €€.*

4 Caffè del Tasso, Bergame

Ce café historique bordant la grand-place est au cœur de la vie sociale et politique de la ville depuis plus de 500 ans *(p. 65)*.
Ⓢ *Plan D3 • piazza Vecchia 3 • €.*

5 Papageno Pub, Bergame

À quelques pas de la place principale, ce vieux bar sombre et accueillant sert de la Guinness à la pression et des plats chauds. Ⓢ *Plan D3 • via Colleoni 1b.*

6 Lubiam, Mantoue

Cette marque de prêt-à-porter masculin établie depuis 1911 offre ici un choix stupéfiant (plus de 1 000 costumes, 1 500 vestes, etc.) à des prix inférieurs de 35 % aux tarifs habituels.
Ⓢ *Plan H6 • viale Fiume 55.*

7 Oblò, Mantoue

Une clientèle d'habitués apprécie l'Oblò pour ses propriétaires souriants, ses bonnes bières, ses splendides *panini*. Une salle non-fumeurs.
Ⓢ *Plan H6 • via Arrivabene 50.*

8 Sperlari, Crémone

Une boutique parquetée datant de 1836 vend ses propres bonbons, *torrone* (nougat), liqueurs, *mostarde* (fruits confits) et cerises à l'eau-de-vie. Ⓢ *Plan E6 • via Solferino 25.*

9 Concerts et opéra à la Fondazione Teatro Ponchielli, Crémone

Avez-vous jamais rêvé d'écouter un quartet à cordes ne jouant que de stradivarius ? Crémone abrite sans doute le seul lieu où cela se poduit régulièrement.
Ⓢ *Plan E6 • corso V. Emanuele 52.*

10 I Portici del Comune, Crémone

Installées sous une arcade bordant la place, les tables de la terrasse font face à la plus jolie façade de cathédrale de la Lombardie *(p. 65)*. Ⓢ *Plan E6 • piazza del Comune 2 • €.*

Catégories de prix

Pour un repas avec	€ moins de 20 €
entrée, plat, dessert et	€€ 20 €-30 €
une demi-bouteille de vin	€€€ 30 €-40 €
(ou repas équivalent),	€€€€ 40 €-50 €
taxes et service compris.	€€€€€ plus de 50 €

Gauche **Da Candida** Droite **I Due Roccoli**

10 Où manger

1 I Due Roccoli, Iseo, lac d'Iseo

Ce restaurant d'un excellent hôtel *(p. 148)*, perché sur une hauteur proche d'Iseo, sert une cuisine régionale raffinée dans un patio ouvert sur des pelouses et des bois *(p. 69)*. ◎ *Plan C4 • via Silvio Bonomelli • 030-982-2977 • €€€€€.*

2 Da Candida, Campione d'Italia, lac de Lugano

Réputé pour son foie gras maison et la polenta cuite dans la cheminée de la salle à manger, cet établissement métisse cuisines française et italienne. ◎ *Plan C2 • Via Marco 4 • 0041-649-7541 • ferm. dim. et lun. midi • €€€€.*

3 Antica Agnello, lac d'Orta

Les ingrédients les plus frais, notamment des poissons du lac et du gibier, servent à préparer des recettes locales. ◎ *Plan A3 • via Olina 18 • 0322-90-259 • ferm. mar. • €€€.*

4 Villa Crespi, lac d'Orta

Le restaurant chic d'un hôtel de style néomauresque *(p. 148)* propose une cuisine régionale de haut niveau et un excellent service. ◎ *Plan A3 • via Fava 18 • 0322-911-908 • www.lagodortahotels.com • €€€.*

5 Antica Hosteria del Vino Buono, Bergame

La simplicité règne dans ce *palazzo* médiéval qui sert des spécialités bergamasques. ◎ *Plan D3 • via Donizetti 25 • 035-247-993 • ferm. lun. • €€€.*

6 Taverna del Colleoni e del Angelo, Bergame

Ce restaurant chic occupe un *palazzo* Renaissance sur la grand-place où il dresse des tables l'été. Retournez la carte pour les spécialités locales. ◎ *Plan D3 • piazza Vecchia 7 • 035-232-596 • ferm. lun. • €€€€€.*

7 Leoncino Rosso, Mantoue

Ouvert depuis 1750, cet établissement rustique situé à quelques pas de la grand-place propose de délicieux mets mantouans comme les *tortelli di zucca* (pâtes fourrées à la courge). ◎ *Plan H6 • via Giustiziati 33 • 0376-323-277 • ferm. dim. • €€.*

8 Ochina Bianca, Mantoue

Les déclinaisons pertinentes de classiques locaux tirent un parti judicieux des poissons du lac. ◎ *Plan H6 • via Finzi 2 • 0376-323-700 • ferm. lun. • €€€.*

9 La Sosta, Crémone

Cette *osteria* appréciée des Crémonais propose, entre autres, des *gnocchi vecchia Cremona* farcis au salami selon une recette du XVIIe s. ◎ *Plan E6 • via Sicardo 9 • 0372-456-656 • ferm. lun. et dim. soir • €€€.*

10 Due Stelle, Brescia

Au « Deux Étoiles », vieux de plus d'un siècle, on mange autour d'une fontaine du XVIe s. ou devant une cheminée. ◎ *Plan F4 • via S. Faustino 48 • 030-42-370 • ferm. lun., dim. soir • €€€.*

 Remarque : *sauf indication contraire, tous les restaurants acceptent les cartes de paiement et proposent des plats végétariens.*

MODE D'EMPLOI

MILAN ET LES LACS

Gauche **Autocar de l'aéroport de Malpensa** Centre **Aéroport de Linate** Droite **Arrivée en voiture**

TOP10 Aller à Milan

1 En avion depuis Paris

Air France et Alitalia assurent des dessertes quotidiennes de Milan au départ de l'aéroport Charles-de-Gaulle. Parmi les compagnies à bas coût *(low cost)*, de mars à octobre, Easyjet propose tous les jours des vols Orly-Linate, et Volare deux allers-retours Orly-Malpensa.

2 En avion depuis la province

Air France et Alitalia proposent également de nombreux vols directs entre Milan et les grandes villes de province françaises. Aucune compagnie à bas coût n'assure de liaison.

3 En avion depuis la Belgique

Alitalia et SN Brussels proposent des allers-retours quotidiens entre Bruxelles et Milan. En haute saison, un avion Virgin Express effectue une navette quotidienne.

4 En avion depuis la Suisse

Au départ de Genève et de Zurich, Alitalia et Swiss proposent des liaisons quotidiennes directes, et plusieurs autres compagnies des vols indirects.

5 Réductions

L'achat de billets en ligne est en constante progression, et la plupart des compagnies utilisent leur site Web pour écouler des billets à bas prix. Parmi les sites généralistes, ceux de voyage-sncf.com, promovacances.com et lastminute.com comptent parmi les plus performants. Ne négligez pas pour autant les agences de voyages : elles ont accès à des offres qui n'apparaissent pas sur l'Internet.

6 Aéroport de Malpensa

Proche du lac Majeur, Malpensa est relié par train express à la gare de Cadorna, située à l'ouest de Milan (départ toutes les 30 mn, 40 mn de trajet). Des bus partent toutes les 20 mn et mettent 50 mn pour rejoindre le centre-ville.

7 Aéroport de Linate

Depuis le deuxième aéroport de Milan, à l'est de la ville, les bus STAM rejoignent le centre toutes les 30 mn. Le trajet dure 25 mn, et les passagers achètent leur ticket à bord. La course en taxi reste abordable.

8 En train

Depuis Paris, vous aurez le choix entre deux allers-retours quotidiens en TGV, et deux autres en train de nuit. Il existe une liaison quotidienne directe Bruxelles-Milan (12 h de trajet). Quatre trains directs relient tous les jours Genève à Milan.

9 Gares de Milan

La plupart des trains venant de l'étranger arrivent à la Stazione Centrale. Son Office du tourisme se trouve dans une galerie de boutiques du hall des départs. Les autres gares comprennent Cadorna, aussi appelée Milano Nord (liaisons avec l'aéroport de Malpensa et Côme), Porta Genova (Asti et le Sud-Ouest) et Porta Garibaldi (Lecco).

10 En voiture

Le trajet le plus facile passe par le Sud de la France, puis par l'autoroute A10 jusqu'à Gênes, et l'A7 jusqu'à Milan. Venir du Nord impose de franchir les Alpes : par le tunnel du Mont-Blanc depuis Genève et Annecy, et par le col du Saint-Gothard depuis Lucerne et Zurich.

Carnet d'adresses

Compagnies
www.airfrance.fr
www.alitalia.it
www.easyjet.com
www.flysn.com
www.swiss.com
www.virginexpress.com
www.volare.com

Sites Internet
www.voyage-sncf.com
www.promovacances.com
www.lastminute.com

Aéroports de Milan
• 02-7485-2000 • www.sea-aeroportimilano.it

Gauche **Visite en autocar** Centre **Panneau routier** Droite **Vedette**

⁇10 Se déplacer

1 En train
Gérés par les Ferrovie dello Stato (FS), les trains italiens offrent un moyen pratique de se déplacer, mais ne desservent pas la totalité de la Lombardie. Les horaires sont vendus par les marchands de journaux. Vous aurez sans doute à faire la queue pour prendre votre billet. Pensez à le composter avant de monter à bord.

2 En autocar
Les autocars ne sont pas moins coûteux que les chemins de fer. Ils présentent surtout l'intérêt de rejoindre des destinations inaccessibles en train.

3 En bateau
Beaucoup moins cher que les compagnies privées et les bateaux-taxis, un service public, Navigazione Laghi, assure les dessertes sur les lacs Majeur, de Garde, de Côme et d'Iseo. Sur les plans d'eau plus petits, quelques vedettes circulent entre certaines villes ou vers des îles.

4 En voiture de location
La voiture est le moyen le plus pratique de découvrir la région. En la réservant avant le départ, vous obtiendrez les meilleurs tarifs. Beaucoup de sociétés exigent une caution.

5 Panneaux routiers et cartes
Aisées à se procurer partout en Italie, les cartes routières du TCI (Touring Club Italiano) n'offrent pas autant de renseignements touristiques que les cartes Michelin. Sur les panneaux de signalisation, les sigles et destinations apparaissent en vert pour les autoroutes, et en bleu pour les nationales et les routes secondaires.

6 Règles de conduite
Les limitations de vitesse sont de 50 km/h en ville, 90 km/h sur route, 110 km/h sur route à double voie et 130 km/h sur autoroute. Le port de la ceinture est obligatoire et le taux maximum d'alcoolémie autorisé de 0,5 g/l. Les Italiens utilisent souvent leur klaxon, mais klaxonner ne possède pas de connotation agressive.

7 Péages et carburant
Les autoroutes sont payantes, entre autres au moyen de la Viacard inspirée de la carte téléphonique et proposée dans de nombreux points de vente. Dans beaucoup de stations-service, des pompes automatiques permettent de se servir en essence sans plomb *(senza piombo* ou *verde)* où en gazole *(gasolio)* pendant les heures de fermeture.

8 Stationnement
Il est généralement interdit de stationner en centre-ville. Peu d'hôtels possèdent leur propre parking, mais beaucoup ont des accords avec un garage proche. Prenez garde à ne jamais laisser votre véhicule dans une zone d'enlèvement *(zona rimozione)* sous peine de le retrouver en fourrière.

9 Autobus urbains, trams et métro
Les mêmes tickets, vendus par les marchands de journaux et dans les bureaux de tabac et les bars, servent pour tous les transports en commun de Milan. Ils donnent droit à les emprunter à sa guise pendant une période de temps définie.

10 Taxis
Vous trouverez des stations devant les aéroports et les gares, et le personnel des hôtels et des restaurants vous indiquera le numéro des radio-taxis locaux. Il est d'usage de laisser un pourboire d'un montant de 10 % de la course.

Carnet d'adresses

Trains
www.fs-on-line.it

Bateaux
www.navigazionelaghi.it

Location de voiture
www.europebycar.com
www.autoeurope.com

Location d'une voiture pendant plus de trois semaines **p. 135**

Gauche **Office du tourisme** Centre **Galerie marchande** Droite **Marchand de journaux**

Mode d'emploi

🔟 Informations pratiques

1 Office national du tourisme italien

La principale unité de l'ENIT (Ente Nazionale Italiano per il Turismo) est de fournir sur son site Internet les coordonnées des Offices du tourisme locaux dont les informations se révéleront plus précises.

2 Offices du tourisme en Lombardie

Les bureaux locaux d'*informazioni turistiche*, souvent distingués par les sigles « APT » ou « Pro Loco », permettent de se procurer des plans gratuits, les horaires de visite des musées et monuments et des adresses d'hôtels. Au-delà, la compétence du personnel varie grandement, mais il se montre en général accueillant. L'Office du tourisme milanais a un bureau sur la piazza del Duomo, via Marconi 1 (02-7252-4301), et un autre dans la Stazione Centrale (02-7252-4360).

3 Immigration

Pour pénétrer en Italie, les citoyens de l'Union européenne n'ont besoin que d'une carte d'identité en cours de validité, ou d'un passeport valide ou périmé depuis moins de cinq ans. Les ressortissants de la Suisse et du Canada ne peuvent séjourner plus de trois mois sans visa.

4 Douanes

L'Italie applique les mêmes prescriptions d'importation que les autres pays de l'Union européenne.

5 Horaires

Traditionnellement, les bureaux et les commerces ouvrent à 8h ou à 9h, respectent, à l'instar des musées et des églises, le rite de la sieste *(riposo)* de 12h30 à 15h ou 16h, et ferment entre 18h et 20h. Dans les grandes villes, le *riposo* cède du terrain devant la journée continue *(orario continuato)*.

6 Électricité

Alimentées en 220 volts, les prises électriques italiennes sont de même type que les françaises.

7 Presse et médias

Vous trouverez des quotidiens en français comme *Le Monde, Libération, Le Soir* ou *La Tribune de Lausanne* dans les gares et les kiosques des places les plus touristiques. TV5 figure en général parmi les chaînes diffusées par satellite disponibles dans certains hôtels. Radio France internationale est captée partout en Italie.

8 Quand partir

La Lombardie connaît des hivers rigoureux et des étés chauds. Le printemps et l'automne offrent les conditions de voyage les plus agréables, d'autant que les lacs permettent la baignade en juin et septembre.

9 Haute saison et vacances

La haute saison dure de Pâques à juillet, et de septembre à octobre. Les stations au bord des lacs sont bondées en été, particulièrement pendant la seconde quinzaine d'août où les villes se vident. Milan est à éviter pendant les foires commerciales de mars, avril et octobre.

10 Qu'emporter

Les Italiens aiment s'habiller et vous apprécierez d'avoir emporté au moins une tenue élégante. Vous devrez porter des habits suffisamment couvrants dans beaucoup d'églises.

Sur l'Internet

- *Office du tourisme italien :* www.enit.it

- *Lombardie :* www.regione.lombardia.it

- *Piémont :* www.regione.piemonte.it/turismo

- *Milan :* www.milanoinfotourist.com

- *Lac de Garde :* www.gardaworld.com

- *Lac de Côme :* www.lagodicomo.com

- *Lac Majeur :* www.lagomaggiore.it

Gauche **En visite** Centre **Hôtel une-étoile** Droite **Éventaire d'artisanat**

⑩ Séjourner à bon marché

1 Visites gratuites
Les églises de Lombardie contiennent de splendides œuvres d'art et leur entrée reste libre. Les places bordées de *palazzi* offrent un somptueux décor au théâtre de la vie, et une place assise aux premières loges ne coûte que le prix d'un café.

2 Visiter à prix réduit
L'accès aux musées nationaux est gratuit pour les personnes de moins de 18 ans et de plus de 60 ans. Dans les autres musées, les conditions donnant droit à une réduction varient grandement pour les seniors comme pour les plus jeunes.

3 Prendre le train moins cher
Une Carta Verde coûte environ 13 € et donne droit à une réduction de 30 % aux moins de 18 ans. La Carta Argento offre le même avantage aux plus de 60 ans. Les forfaits proposés par les Chemins de fer italiens seront probablement peu rentables si vous restez en Lombardie.

4 Voiture en crédit-bail
Pour une période de plus de 21 jours, un leasing à court terme est souvent plus économique qu'une location. Vous bénéficiez en outre d'une assurance complète et d'un véhicule neuf. Europe By Car et Auto Europe *(p. 133)* demeurent des précurseurs dans ce domaine, mais d'autres sociétés commencent à les imiter.

5 Hébergement
En général, les prix grimpent plus on se rapproche du centre-ville. Pourtant, il est souvent préférable de se contenter d'un hôtel un peu moins confortable, ou d'une chambre sans salle de bains, dans un quartier vivant, plutôt que de se perdre en périphérie ou d'échouer dans les environs peu intéressants d'une gare.

6 Restaurants
La qualité de la nourriture ne dépend pas toujours du standing de l'établissement ni des prix pratiqués, surtout dans les zones touristiques. Une modeste *osteria* ou *trattoria* peut très bien servir une excellente cuisine. Ne perdez pas de vue qu'un *antipasto* coûte presque aussi cher qu'un *primo piatto*. Le *tavole calde* et les bars *(p. 142)* servent des plats chauds très bon marché.

7 Pique-niquer
Après être passé à l'épicerie *(alimentari)*, chez le marchand de fruits et légumes *(fruttivendolo)*, à la boulangerie-pâtisserie *(panetteria-pasticceria)*, et chez le caviste *(enoteca, fiaschetteria)*, il ne vous restera plus qu'à choisir le site.

8 Payer en liquide
Pour éviter les commissions prélevées sur les règlements par carte bancaire, les boutiques et les hôtels modestes peuvent vous accorder une réduction si vous payez en liquide. La loi impose tout de même que l'on vous remette un reçu sous une forme ou une autre.

9 Voyager hors saison
Le printemps, et même l'automne maintenant attirent autant de visiteurs que l'été, et les compagnies aériennes en tiennent compte dans leurs tarifs. De mi-novembre à Pâques, les prix des billets d'avion et des hôtels baissent considérablement... Mais malheureusement beaucoup d'hôtels et de restaurants ferment en hiver autour des lacs.

10 Acheter sagement
Les ressortissants de pays n'appartenant pas à l'U.E. ont intérêt à regrouper leurs acquisitions afin de récupérer la TVA *(p. 137)*. Les marchés aux puces et de produits artisanaux *(p. 57)* offrent l'occasion de faire de bonnes affaires, tout en achetant des souvenirs sortant de l'ordinaire.

Gauche **Distributeur de billets** Centre **Publiphones** Droite **Cybercafé**

TOP 10 Banques et communications

1 Banques
Elles ouvrent en général de 8h30 à 13h30, et de 14h45 à 15h30 ou 16h. En cas de besoin, vous pouvez faire transmettre par télex de l'argent de votre banque à une banque italienne, mais la procédure prend au moins une semaine. American Express, Thomas Cook et Western Union proposent des services plus rapides.

2 Distributeurs de billets
Un *bancomat* offre le moyen le plus pratique de se procurer du liquide. Vérifiez avant le départ votre plafond de retrait car il est facilement vite atteint en voyage.

3 Cartes bancaires
Hormis dans les restaurants, les boutiques et les hôtels les plus modestes, les cartes MasterCard, Visa et, dans une moindre mesure, les American Express sont acceptées presque partout. Souvent, un autocollant *Carta Si* le précise.

4 Chèques de voyage
Les distributeurs automatiques de billets ont terriblement réduit l'intérêt des chèques de voyage, mais ceux-ci restent néanmoins le moyen le plus sûr de transporter de l'argent, ne serait-ce qu'en dépannage en cas de perte ou de vol d'une carte bancaire. Pensez à garder à part le document où figurent leurs numéros.

5 Monnaie
Comme 11 autres pays membres de l'Union européenne, l'Italie s'est convertie à l'euro le 1er janvier 2002.

6 Téléphones publics
La plupart des téléphones publics ne fonctionnent qu'avec une carte magnétique *(scheda telefonica)*. Vous en trouverez en vente dans les postes, les bureaux de tabac (signalés par un « T » blanc) et les kiosques à journaux. Il faut en briser l'angle avant le premier usage. Très pratique, la carte France Telecom, à souscrire avant le départ, permet d'appeler de l'étranger en payant la communication avec sa facture. Renseignements au 0800 202 202 ou sur le site www.cartefrance telecom.com.

7 Téléphoner
Les hôtels majorent de plus de 50 % les communications passées depuis les chambres. Pour appeler l'Italie depuis l'étranger, composez 00, puis 39, puis le numéro complet de votre correspondant, y compris le premier 0. Pour téléphoner à l'étranger depuis l'Italie, composez 00, puis l'indicatif du pays (33 pour la France, 32 pour la Belgique, 41 pour la Suisse et 1 pour le Canada), puis le numéro du correspondant sans le premier 0. Pour un appel en PCV *(a carico)*, composez 170.

8 Accès à l'Internet
Les points d'accès à l'Internet disparaissent souvent aussi vite qu'ils fleurissent. L'Office du tourisme vous indiquera où vous adresser. De plus en plus d'hôtels permettent également de se connecter.

9 Envoyer du courrier
Vous trouverez des timbres *(francobolli)* en vente dans les postes et les bureaux de tabac. En glissant votre envoi dans la boîte, ne vous trompez pas entre la fente *« per la città »* et celle *« per tutte le altre destinazioni »*.

10 Recevoir du courrier
Faites-vous adresser lettres et colis aux bons soins (c/o) *Fermo Posta*, Ufficio Postale Principale, puis le nom de la ville. Il vous en coûtera une petite commission. Les détenteurs d'une carte American Express peuvent recevoir leur courrier gratuitement : c/o Client Mail / American Express / Via Brera 3 / 20121 Milano, Italia.

Gauche **Rue commerçante** Centre **Bouteilles de *chianti*** Droite Artisanat local

TOP 10 Comment acheter

1 Horaires
Les commerces ouvrent vers 8h et ferment entre 19h et 20h, après une longue pause en milieu de journée *(p. 134)*. Ils gardent leurs rideaux baissés le dimanche et, souvent, le lundi matin.

2 Marchander
Négocier les prix fait partie du quotidien sur les marchés. Beaucoup d'étals sont aujourd'hui tenus par des immigrés de pays du Moyen-Orient, aussi préparez-vous à respecter tout le rituel : le client se doit de paraître de moins en moins intéressé, tandis que le vendeur prend une attitude de plus en plus offensée.

3 Exemption de la TVA
Les visiteurs n'appartenant pas à l'Union européenne peuvent récupérer la TVA (appelée IVA) sur des achats d'un montant de plus de 155 € effectués dans la même boutique. Ils doivent réclamer un formulaire qu'ils renverront tamponné par la douane à leur sortie du territoire. Ils seront remboursés par courrier, parfois des mois plus tard. Les magasins « Tax Free » accélèrent le processus en remettant un chèque qui peut être encaissé directement à un comptoir après passage en douane.

4 Exportation sans frais de douane
En dehors de quelques restrictions, par exemple l'interdiction d'exporter plus de 90 litres de vin, aucune limite n'est imposée aux particuliers dans la circulation des biens entre pays de l'Union européenne.

5 Mode
Capitale italienne de la mode, Milan abrite les maisons mères de grands noms de la haute couture comme Prada, Giorgio Armani, Gianni Versace, Mila Schön, Krizia, Missoni et Gianfranco Ferré *(p. 77)*. Malheureusement, les prix pratiqués sont les mêmes que dans leurs points de vente à l'étranger. En revanche, quelques magasins hors du centre permettent parfois de bonnes affaires *(p. 96)*. En mars et octobre, les défilés du MODIT annoncent les grandes tendances du prêt-à-porter des saisons d'été et d'hiver suivantes.

6 Design
Des Ferrari aux théières d'Alessi, les Italiens sont les maîtres de l'esthétique industrielle. À défaut d'avoir les moyens, ou l'envie, d'acheter une voiture de sport, peut-être succomberez-vous au désir d'embellir votre cuisine, surtout à prix réduit *(p. 128)* ?

7 Bonnes affaires
Pour les objets artisanaux comme les céramiques ou les sculptures, essayez d'acheter directement au fabricant. Pour tout le reste, fiez-vous aux trois « S » : *sconti* (remises), *saldi* (soldes), et *spacci* (discompteurs).

8 Expédiez vos acquisitions
En cas d'achat encombrant, voyez avec le magasin s'il peut l'envoyer à votre domicile. La gêne évitée justifie souvent le surcoût. Si vous préférez passer par la poste, réputée pour sa lenteur en Italie, il est recommandé d'effectuer un envoi assuré *(assicurata)*.

9 Vin
Pour les visiteurs venus en voiture, les crus produits en Italie comptent parmi les meilleurs souvenirs à rapporter de ce pays. Ils offrent en outre un excellent prétexte à une excursion dans les régions viticoles *(p. 67)*, où de nombreux domaines proposent des dégustations.

10 Artisanat
Du cuir et de la céramique à la sculpture sur bois et aux bijoux, les créations de qualité des artisans locaux feront des souvenirs et des cadeaux appréciés.

Gauche **Ambulance** Centre **Enseigne de pharmacie** Droite **Tramways**

10 Santé et sécurité

1 Urgences
Le carnet d'adresses indique les principaux numéros à appeler en cas d'urgence. Attention, le 116 met en relation avec un service de remorquage payant.

2 Sécurité
Les Italiens ont une façon de conduire plus ludique qu'agressive, mais elle impose en ville beaucoup de vigilance. En dehors des problèmes posés par les pickpockets (ci-dessous), le pays est très sûr. Comme partout, cependant, les femmes seules doivent éviter les endroits déserts la nuit.

3 Vol
Les pickpockets opèrent principalement dans les transports en commun et dans les lieux très fréquentés par les touristes. Deux précautions simples limitent beaucoup les risques : porter les sacs sur le torse plutôt qu'à l'épaule, et garder argent, carte bancaire et papiers d'identité dans une pochette cachée sous les vêtements. En voiture, ne laissez aucun objet de valeur en évidence.

4 Mendiants
Milan, comme toutes les grandes villes d'Europe, a ses mendiants. mais rares sont ceux qui importunent les visiteurs étrangers.

5 Indélicatesses
Méfiez-vous des chauffeurs de taxi sans licence (le numéro doit être affiché), et de ceux qui règlent leur compteur sur le tarif hors ville alors que vous restez dans le centre. Dans les restaurants, surtout dans les zones touristiques, il peut arriver qu'on vous facture des plats que vous n'avez pas commandés. Beaucoup d'achats peuvent être effectués avec une carte bancaire simplement en la signant. Prévenez immédiatement l'organisme émetteur en cas de perte ou vol.

6 Police
Il existe deux grandes forces de maintien de l'ordre, la *polizia* civile et les *carabinieri* militaires. Pour obtenir le remboursement d'un vol, il faut le déclarer dans les 24 h dans un poste de police *(questura)* et demander un procès verbal *(denuncia)*.

7 Soins médicaux
Les ressortissants de l'Union européenne doivent se procurer avant le départ un formulaire E 111 auprès de leur caisse d'assurance maladie s'ils veulent se faire rembourser les soins. Il est recommandé de bénéficier d'une assurance complémentaire prévoyant la couverture des frais de rapatriement.

8 Hôpitaux
N'hésitez pas, en cas de problème, à vous adresser au service des urgences *(pronto soccorso)*, en général moderne et efficace, d'un hôpital *(ospedale)*.

9 Pharmacies
La plupart des médicaments ne sont vendus que sur ordonnance, mais le personnel d'une *farmacia* saura vous conseiller en cas d'affection sans gravité. Le soir et le dimanche, le nom et l'adresse de l'officine de garde sont clairement affichés. À Milan, la gare centrale abrite une pharmacie ouverte en permanence.

10 Eau
L'eau du robinet et des fontaines est partout buvable, sauf quand est mentionné *« aqua non potabile »*.

Carnet d'adresses

Téléphones d'urgence
- *Premiers secours 113*
- *Ambulances 118*
- *Pompiers 115*
- *Panne de voiture 116*

Police
- *Polizia 113*
- *Carabinieri 112*

Pharmacie ouverte 24h/24
Stazione Centrale, Milan • 02-669-0935

Mode d'emploi

Gauche **Hôtel des Îles Borromées, lac Majeur** Centre **Soldes** Droite **Circulation à Milan**

⁉️10 À éviter

1 Milan en août
Il règne souvent une chaleur étouffante dans la capitale lombarde en août, et presque tous ses habitants, dont de nombreux pharmaciens et commerçants, partent en vacances. Seul, le quartier des Navigli reste vivant, mais prévoyez une ample réserve de répulsif anti-moustiques.

2 Les lacs en hiver
Pour la plupart, les hôtels ferment en octobre ou novembre et ne rouvrent qu'entre février et Pâques. La saison est un peu plus longue au lac Majeur où beaucoup de restaurants ne ferment qu'en décembre ou janvier.

3 Ne pas réserver sa chambre à Milan pendant les foires commerciales
En mars, avril et octobre, pendant les grands défilés de mode et rassemblements commerciaux, même les hôtels au confort le plus sommaire affichent complet. Il vaut mieux réserver aussi le reste de l'année pour éviter de se retrouver confronté à un choix restreint.

4 Les contraintes imposées par certains hôtels
Les établissements des stations balnéaires des lacs ont souvent une clientèle d'habitués qui viennent passer une semaine ou deux de vacances sans s'éloigner de leur plage favorite. Les forfaits qu'ils proposent reflètent cette situation. Réserver votre hébergement à l'avance vous permettra de ne pas être obligé d'accepter des conditions, par exemple un séjour de trois jours au moins.

5 Conduire à Milan
Les transports en commun et les difficultés de stationnement rendent une voiture superflue à Milan. Réservez la location d'un véhicule à la découverte de la région.

6 Ne pas réserver de billet pour *La Cène*
Vous n'avez pratiquement aucune chance de pouvoir contempler la fresque de Léonard de Vinci *(p. 8-9)* en vous présentant sur place sans avoir réservé votre billet. Essayez de vous y prendre au moins deux jours à l'avance.

7 Surcharger votre emploi du temps
Si vous avez un tempérament très actif, vous visiterez peut-être les musées de Milan les uns à la suite des autres. Mais il serait dommage de partir à la découverte de la région des lacs sans profiter de votre séjour pour vous initier au plaisir très italien du *dolce far niente*.

8 Les boutiques hors de prix
Malgré le plaisir procuré par le lèche-vitrines au Quadrilatero d'Oro, le quartier du luxe à Milan, peu de visiteurs peuvent se permettre d'y renouveler leur garde-robe. Par chance, ce haut lieu de la mode alimente quelques enseignes où il est possible d'acquérir des vêtements de l'année précédente, du deuxième choix ou des fins de série à des prix de 30 à 50 % inférieurs. Parfois, on peut même tomber sur une « fripe » qui n'a été portée que par un mannequin à l'occasion d'un défilé *(p. 77 et 96)*.

9 Les sacs à la taille
Les sacs communément appelés « bananes » se révèlent peut-être très pratiques pour transporter papiers , carte bancaire et argent liquide, mais ils placent vos biens les plus précieux à la hauteur idéale pour les doigts agiles des pickpockets.

10 Gardaland sans enfants
Gardaland a beau être le parc à thème le plus important d'Italie, ce qui lui vaut d'être cité dans ce guide comme une des meilleures attractions pour les enfants de la région *(p. 63 et 117)*, il ne présente guère d'intérêt pour des adultes qui voyagent sans enfants.

Mode d'emploi

Gauche **Étudiants** Droite **Seniors en visite**

📷10 Situations particulières

1 Étudiants
Milan compte de nombreux étudiants, que l'on peut rencontrer dans les bars du quartier des Navigli et dans les boîtes de nuit de Ticinese, un peu plus au nord. Beaucoup fréquentent aussi les cafés du quartier Brera. Pour obtenir une réduction dans un musée, demandez un billet « *studente* ».

2 Carte « étudiant »
Pensez à vous procurer la carte ISIC avant le départ.

3 Seniors
Les *anziani* ont souvent droit à des réductions sur les sites de visite et dans les transports en commun (*p. 135*).

4 Infos « seniors »
Les magazines dédiés à un public de retraités comme *Notre Temps* et *Pleine Vie,* et des sites Internet comme 55net (canadien) et Websenior (belge) constituent de bonnes sources d'informations avant le départ.

5 Femmes
Les étrangères reçoivent parfois plus d'attention dans la rue de la part des Italiens qu'elles ne le souhaiteraient. Il ne sert à rien de s'énerver, la fermeté est plus efficace avec les importuns.

6 Rencontrer d'autres femmes
Le Benvenuto Club et la PWA (Professional Women's Association) réunissent des femmes de nationalités variées. Elles communiquent en général en anglais.

7 Handicapés
La législation protégeant le patrimoine architectural dissuade les propriétaires d'adapter les immeubles les plus anciens aux besoins des handicapés. Souvent, dans les restaurants, les toilettes ne sont pas accessibles en fauteuil roulant. Les hôtels, en particulier les quatre et cinq-étoiles, sont en général mieux équipés. Les grands musées et la plupart des stations de métro sont dotés de rampes et d'ascenseurs.

8 Infos « handicapés »
Le GIPH (Groupement pour l'insertion des personnes handicapées physiques) et un site Internet comme www.yanous.com vous aideront à établir des contacts pour préparer votre voyage. I.Care est une agence spécialisée.

9 Gays et lesbiennes
La tolérance envers les homosexuels règne dans une ville cosmopolite comme Milan, qui a accueilli la fête de la World Pride en 2000.

10 Infos « gays »
Arcigay, la principale organisation italienne de défense des droits des homosexuels, existe depuis 1985. Sa branche féminine, Arcilesbica, a pris son indépendance en 1996. À Milan, la librairie Libreria Babele (www.libreriababele.it), organise des concerts et des expositions. Les adresses Web utiles comprennent www.gay.it et www.pridemilano.org.

Carnet d'adresses

Carte « étudiant »
• OTU Voyages Paris
01 40 29 12 22
www.otu.fr
• Usit Connections
Bruxelles 02 550 01 00
• STA Travel Genève
022 329 97 34

Seniors
• www.notretempscom
• www.55net.com
• www.websenior.be

Femmes
• www.benvenuto
milano.net
• www.pwa-milan.org

Handicapés
• GIPH 01 45 23 85 50
• I.Care 01 55 20 23 83
www.icare.net

Gays et lesbiennes
• Arcigay
02-5412-2225
www.arcigaymilano.org
• Arcilesbica
02-2901-4027
www.arcilesbica.it
• Libreria Babele,
via S. Nicolao 10

Mode d'emploi

Gauche **Visite organisée** Droite **À la gare**

TOP 10 Avec des enfants

1 Pique-nique
Les boulangeries, les magasins d'alimentation et les traiteurs italiens offrent un large choix de mets à déguster en plein air. C'est la formule idéale pour les enfants qui détestent les longs repas au restaurant.

2 Au restaurant
En dehors des établissements les plus chic, les restaurants accueillent toujours chaleureusement les enfants. La plupart permettent de commander les plats en *mezza porzione* coûtant de 30 à 50 % moins cher. Cette option est également proposée aux adultes souhaitant manger légèrement.

3 À l'hôtel
Les Italiens aiment se déplacer en famille et la plupart des hôtels offrent la possibilité d'ajouter des lits dans les chambres doubles. Il en coûte environ 35 % du prix de la chambre par lit supplémentaire, moins quand il s'agit de berceaux. Les établissements de standing proposent en général un service de baby-sitting.

4 Déplacements
Afin de ne pas changer d'hébergement chaque fois que vous visitez une nouvelle ville, essayez d'établir un camp de base dans un hôtel accueillant, ou un appartement, d'où vous rayonnerez pour des excursions d'une journée. Vos enfants trouveront ainsi plus facilement leurs marques, vous éviterez la perte de temps liée aux déménagements, et vous pourrez négocier des tarifs plus avantageux.

5 Sites de visite
Dans certains monuments et musées, les enfants de moins de 6, 12 ou 18 ans entrent gratuitement, accompagnés de leurs parents. Sinon, ils ont souvent droit à un *ridotto*, un billet à prix réduit. Quelques sites proposent aussi un forfait « famille » *(biglietto famiglia)*.

6 Chemins de fer
Si vous comptez vous déplacer beaucoup en train pendant vos vavances, il peut être plus économique d'acheter une Carta Verde *(p. 135)* qui ouvre droit à des réductions sur l'achat des billets.

7 Location de voiture
À l'extérieur de Milan, une voiture se révélera plus économique que les transports collectifs, et vous apportera une autonomie précieuse. Il est plus avantageux de la réserver en même temps que votre billet plutôt que de la louer sur place *(p. 133)*.

8 Gelati
Les crèmes glacées italiennes *produzione propria* « faites maison » méritent leur réputation.

9 Riposo
Enchaîner les visites se révèle particulièrement fatigant pour les enfants. Adoptez le rythme de vie local en accordant à la famille un temps de repos après le déjeuner.

10 Rencontres
Les Italiens restent très attachés à la *famiglia* et voyager avec des *bambini* suscite leur sympathie et facilite les contacts.

Gelateria

Gauche **Au restaurant** Centre **Service souriant** Droite **Éventaire d'une** *tavola calda*

TOP10 Infos « restaurants »

1 Types de restaurants

Théoriquement, la *trattoria* et l'*osteria*, populaires et bon marché, s'opposent au *ristorante* plus chic. De plus en plus, toutefois, les différences ont tendance à s'estomper.

2 Le repas à l'italienne

Les Italiens font traditionnellement dans la journée un repas copieux conclu par un café et un *digestivo*. Ils le prennent normalement à midi, avant la sieste, et mangent légèrement le soir. Les contraintes de la vie moderne sont en train d'inverser cet ordre. Le matin, ils se contentent souvent d'un *espresso* ou d'un *cappuccino* avec un *cornetto* (croissant).

3 Antipasto

Les hors-d'œuvre proposés au restaurant comprennent typiquement les tomates à la mozzarella, le *carpaccio*, la *bruschetta* (pain grillé frotté d'ail, mouillé d'huile d'olive et garni), la salade de *nervetti* (tendrons de veau) et des charcuteries comme le *prosciutto* (jambon cru), le salami et la *bresaola* (viande de bœuf séchée). Attention, le fait que des hors-d'œuvre soient présentés en buffet ne signifie pas toujours que vous pouvez vous servir à discrétion.

4 Primo

Les entrées classiques comprennent la *cassoeûla*, un ragoût et le *risotto* – qui prend de nombreuses formes selon sa garniture *(p. 66)*. Très variées, les spécialités de pâtes comprennent les *tortelli di zucca* fourrées à la courge, les *agnolotti* (raviolis) et les *pizzoccheri* préparées en gratin. Les soupes comptent le célèbre *minestrone* et la rustique *zuppa pavese* (pain et œufs dans un bouillon).

5 Secondo

En plat principal, les spécialités peuvent avoir pour base le bœuf *(manzo)*, le veau *(vitello)*, l'agneau *(agnello* ou *abbacchio* quand il est de lait)*, le poulet *(pollo)*, le porc *(maiale)*, le sanglier *(cinghiale)*, le lapin *(coniglio)*, le canard *(anatra)* ou un poisson du lac *(p. 67)*. Le terme *braciola* désigne une côtelette de porc, celui de *cotoletta* s'applique plutôt au veau. La formule *grigliata mista* désigne une grillade de plusieurs viandes ou poissons.

6 Dolce

Parmi les desserts les plus populaires figurent le *sorbetto*, le *gelato*, le *frulatto* (purée de fruits au lait), la *torta* (gâteau) et, bien entendu, le *tiramisù* au café et au mascarpone.

7 Vin et eau

Il serait dommage de ne pas accompagner les spécialités locales d'un vin de la région *(p. 67)*, rouge *(rosso)* ou blanc *(bianco)*. Servie en carafe *(un litro)* ou en demi-carafe *(mezzo litro)*, la cuvée de la maison *(vino della casa)* est en général de qualité. Tous les restaurants ont de l'eau en bouteille, gazeuse *(gassata, frizzante)* ou plate *(non-gassata)*.

8 Couvert et pourboire

N'espérez pas échapper au *pane e coperto* (pain et couvert) d'un montant de 1 à 4 € par personne. Même si le service est compris *(servizio incluso)*, il est d'usage de laisser un pourboire au serveur.

9 Comment s'habiller

Très peu de restaurants imposent une tenue de ville, mais les Italiens aiment faire preuve d'élégance quand ils sortent. Le service paraît parfois lent, alors que l'on vous laisse seulement profiter de votre repas.

10 Bars et tavole calde

La plupart des cafés et des bars servent aussi des sandwiches et des pâtisseries. Une *tavola calda* propose en outre des plats chauds en libre-service.

Gauche **Chambre d'hôtel** Centre **Terrain de camping** Droite **Auberge de jeunesse à Menaggio**

TOP 10 Infos « hébergement »

1 Hôtels
La classification des hôtels italiens, de une à cinq-étoiles, dépend des prestations proposées, et non de critères comme le charme ou la proximité du centre. À partir de trois-étoiles, toutes les chambres possèdent leur propre salle de bains et disposent d'un téléviseur et d'un téléphone.

2 Agriturismo (séjours à la ferme)
Les hébergements disponibles dans des exploitations agricoles, souvent des domaines viticoles, vont du rustique au grand standing. Adressez-vous aux organismes spécialisés pour effectuer des réservations ou aux Offices du tourisme locaux.

3 Locations
Pour un séjour d'au moins une semaine en groupe ou en famille, la location d'une villa ou d'un appartement peut se révéler une option à la fois pratique, agréable et avantageuse.

4 Échanges
Particulièrement économique, l'échange d'appartements et de maisons entre particuliers ne cesse de se développer dans le monde. Deux grandes agences, Homelink et Intervac, regroupent les annonces.

5 Logement chez l'habitant
Les Offices du tourisme locaux tiennent à disposition une liste des offres de logement proposées par des particuliers. Elles offrent un bon moyen de faire des rencontres.

6 Camping et caravaning
Il existe des *campeggi* partout en Italie du Nord. Entre la location de l'emplacement et les suppléments demandés par personne et par véhicule, ils peuvent se révéler presque aussi onéreux qu'un hôtel bon marché.

7 Auberges de jeunesse
Malgré leur nom, elles n'imposent pas de limite d'âge. Mieux vaut prendre sa carte, et éventuellement réserver, avant le départ.

8 Couvents
Certaines communautés religieuses acceptent des hôtes (pas les couples non mariés), en chambres doubles ou en dortoirs.

9 Réserver
D'innombrables services Internet permettent d'effectuer des réservations d'hôtel, mais il reste parfois plus simple de s'adresser directement à l'établissement. Sur place, les Offices du tourisme vous aideront à trouver une chambre et à effectuer une réservation pour le prix d'une petite commission.

10 À surveiller
Comparez les différentes chambres proposées au même prix. Pourquoi vous priver de la vue, par exemple ? Un séjour de plus de trois jours devrait donner lieu à réduction. Ajouter un lit dans une chambre entraîne en général un supplément de 30 à 35 %. Attention au coût du parking, des boissons du minibar et des appels téléphoniques.

Carnet d'adresses

Agriturismo
- *www.agriturist.it*
- *www.terranostra.it*
- *www.turismoverde.it*

Locations
- *www.cuendet.com*
- *www.italie-loc-appart.fr*
- *www.casadarno.com*

Échanges
- *www.homelink.fr*
- *www.intervac.com*

Campings
- *www.camping-italy.net*
- *www.feder campeggio.it*

Auberges de jeunesse
- *www.fuaj.org*

Couvents
- *www.sixtina.com*

Gauche **Grand Hotel et de Milan** Droite **Principe di Savoia**

⚑10 Hôtels de luxe à Milan

1 Four Seasons

Inauguré en 1993, l'hôtel le plus chic de la ville occupe un monastère du xve s. orné de fresques dans le « Quadrilatero di Oro » *(p. 68)*. Nombre de ses chambres « de luxe » ouvrent sur le cloître. Le sous-sol abrite l'un des meilleurs restaurants de la région : Il Teatro *(p. 76)*. ✆ *Via Gesù 8 • plan N2 • 02-796-976 • www.fourseasons. com/milan • €€€€€*.

2 Grand Hotel et de Milan

Proche de la Scala, le palace le plus intime de Milan, ouvert en 1863, compta la Callas et Giuseppe Verdi parmi ses habitués. ✆ *Via Manzoni 29 • plan M3 • 02-723-141 • www.grandhoteletde milan.it • €€€€€*.

3 Grand Hotel Duomo

La popularité de ce cinq-étoiles aménagé en 1950 dans un palais de 1860 est largement justifiée. Considéré par les Beatles comme leur « foyer à Milan », il a de nombreux atouts : des prestations de premier ordre, une aile récente avec des chambres inspirées par des classiques du cinéma et des artistes modernes, et, surtout, sa situation sur la place de la cathédrale. ✆ *Via S. Raffaele 1 • plan M4 • 02-8833 • www.grandhotel duomo.com • €€€€€*.

4 Hotel de la Ville

Entre le Duomo et le quartier des boutiques de luxe, les hôtes jouissent ici des mêmes avantages que dans les autres hôtels de standing du centre pour des prix de 20 à 40 % inférieurs. Des soieries et du mobilier du xviiie s. ornent les chambres. ✆ *Via Hoepli 6 • plan M3 • 02-867-651 • www.sinahotels.com • €€€€€*.

5 Principe di Savoia

Ce palace édifié en 1927, mais meublé dans le style lombard du xixe s., possède une grande élégance tout en offrant les prestations les plus modernes. ✆ *Piazza della Repubblica 17 • plan N1 • 02-62-301 • www.lucurycollection.com • €€€€€*.

6 Spadari al Duomo

Ce joyau dessiné par U. Pierini et décoré d'œuvres modernes se trouve près de la piazza Duomo. Des douches multi-jets équipent les salles de bains ; des rabais de 20 % sont accordés du vendredi au dimanche. ✆ *Via Spadari 11 • plan L4 • 02-7200-2371 • www.spadarihotel.com • €€€€*.

7 Antica Locanda dei Mercanti

Entre le Duomo et le Castello Sforzesco, ce petit hôtel de charme loue des chambres à la simplicité reposante où livres, magazines et fleurs remplacent la télévision. Certaines donnent sur la terrasse. ✆ *Via San Tomaso 6 • plan L3 • 02-805-4080 • www. locanda.it • €€*.

8 Sheraton Diana Majestic

Un bassin fleuri égaie le jardin verdoyant de cet hôtel de style Liberty. Le système de sonorisation de marque Bose témoigne du soin apporté à l'équipement des chambres, élégantes et spacieuses. ✆ *Viale Piave 42 • plan P2 • 02-20-581 • www.sheraton.com • €€€€€*.

9 Ariosto Hotel

Les prix ne reflètent pas le raffinement du service. L'immeuble de style Liberty se dresse entre une rue résidentielle et un jardin. Les hôtes disposent gratuitement d'un accès à l'Internet haut débit, de bicyclettes et, dans leurs chambres, d'un magnétoscope et de la télévision par satellite. ✆ *Via Ariosto 22 • 02-481-7844 • www.brerahotels. com • €€€*.

10 Carlton Hotel Baglioni

Boiseries et brocarts décorent cet hôtel de 1962 qui comprend un centre d'affaires. ✆ *Via Senato 5 • plan N2 • 02-77-077 • www.baglioni hotels.com • €€€€€*.

Catégories de prix

Prix par nuit pour	€ moins de 110 €
une chambre double	€€ 110 €-160 €
avec petit déjeuner	€€€ 160 €-210 €
(s'il est inclus), taxes	€€€€ 210 €-270 €
et service compris.	€€€€€ plus de 270 €

Excelsior Hotel Gallia

⁑10 Hôtels d'affaires à Milan

1 Excelsior Hotel Gallia

Cet Excelsior offre le meilleur de deux mondes : un équipement moderne complet et la sophistication d'un hôtel de standing de 1937. Dans les chambres aux salles de bains en marbre et à l'aménagement recherché, des lignes de téléphone dédoublées permettent de connecter un ordinateur. Les dix salles de conférences modulaires accueillent jusqu'à 600 personnes.
Ⓢ *Piazzale Duca d'Aosta 9 • 02-678-5713 • www.lemeridien-excelsiorhotelgallia.it • €€€€€.*

2 Westin Palace

Derrière une façade récente, le décor intérieur évoque plutôt le style Empire. Treize salles de conférences et un service de traduction simultanée rendent le centre d'affaires très efficace. L'hôtel abrite aussi un centre de remise en forme complet. Ⓢ *Piazza della Repubblica 20 • plan N1 • 02-63-361 • www.westin.com • €€€€€.*

3 Una Hotel Century

Près de la gare centrale, cette succursale d'une chaîne italienne ne loue que des suites modernes avec bureau-salon séparé de la chambre. Ⓢ *Via F Filzi 25B • 02-675-041 • www.unahotel.it • €€€€€.*

4 Capitol Millennium

Cet hôtel moderne offre aux voyageurs d'affaires le dernier cri de la technologie. Les clients disposent dans leur chambre d'un bureau spacieux, d'une ligne directe de téléphone, d'un accès à l'Internet haut débit et d'un télécopieur. La télévision par satellite et la musique dans la salle de bains agrémenteront leurs moments de détente.
Ⓢ *Via Cimarosa 6 • 02-438-591 • www.capitol millennium.com • €€€€€.*

5 Doriagrand Hotel

Ce grand établissement moderne aux chambres confortables propose en week-end des tarifs inférieurs de 60 % à ceux pratiqués en semaine. Ⓢ *Viale Andrea Doria 22 • 02-6741-1411 • www.doriagrand hotel.it • €€€€€.*

6 Una Hotel Cusani

L'ancien Radisson Bonparte n'a rien perdu de son confort. Il jouit d'une situation privilégiée en face du Castello Sforzesco. Ⓢ *Via Cusani 13 • plan L3 • 02-85-601 • www.unahotel.it • €€€€€.*

7 Marriott

Avec plus de 300 chambres, un étage de suites et 18 salles de conférences à quelques pas de la Fiera, le Marriott vise clairement une clientèle professionnelle. Mais sa situation excentrée rend difficiles les visites touristiques après les réunions de travail. Ⓢ *Via Washington 66 • 02-4800-8981 • www.marriott.com • €€€€€.*

8 Mediolanum

À 200 m d'une station de métro et de la gare centrale, la gestion familiale de cet hôtel à la façade austère apporte une touche personnelle au service. Cependant la plupart des chambres sont trop petites. Ⓢ *Via Mauro Macchi 1 • 02-670-5312 • www.medio lanumhotel.com • €€€€€.*

9 Grand Hotel Fieramilano

Situé en face de l'entrée de la Fiera, il est idéalement placé pour ceux qui viennent à une foire commerciale. Les motifs des tissus apportent une touche de chaleur à l'aménagement contemporain des chambres. Ⓢ *Viale S. Boezio 20 • 02-336-221 • €€€€€.*

10 Hotel Executive

À l'extrémité nord du quartier Brera, l'hôtel dispose de chambres au décor très classique mais équipées de tout le confort moderne. Le centre d'affaires comprend 21 salles de conférences. Ⓢ *Viale Sturzo 45 • 02-62-941 • www.hotel-executive.com • €€€.*

 Sauf indication contraire, les hôtels acceptent les cartes de paiement et toutes les chambres disposent d'une salle de bains et sont climatisées. 145

Gauche **Rovello** Centre **Santa Marta** Droite **Genius Hotel Downtown**

🔟 Hôtels de milieu de gamme

1 Antica Locanda Solferino

L'hôtel le plus excentrique de Milan est adoré des gourous de la mode et des vedettes de cinéma. L'absence d'éléments de confort – minibars et grandes salles de bains – est compensée par des détails comme les balcons fleuris et la chaleur familière d'un mobilier dépareillé. ◈ *Via Castelfidardo 2 • plan M1 • 02-657-0129 • pas de climatisation • €€€.*

2 London

Le service de cet hôtel suranné, proche du Castello, est souriant. La taille des chambres lumineuses, au mobilier solide malgré son âge, diminue plus on monte. Les hôtes ont 10 % de réduction dans le restaurant voisin. ◈ *Via Rovello 3 • plan L3 • 02-7202-0166 • €€.*

3 Rovello

L'hôtel de la via Rovello ayant le plus de personnalité a été rénové. Heureusement, il a conservé ses plafonds à poutres apparentes. Ses chambres, spacieuses, sont désormais équipées de lits orthopédiques. ◈ *Via Rovello 18 • plan L3 • 02-8646-4654 • €€€.*

4 Giulio Cesare

Le plus modernisé des hôtels de la via Rovello possède des salles de bains refaites à neuf, un mobilier récent et un personnel bourru. Sans conciergerie ni service de blanchisserie, il n'offre pas tout à fait la même qualité de prestation que ses voisins. ◈ *Via Rovello 10 • plan L3 • 02-7200-3915 • www.giuliocesarehotel.it • €€.*

5 Santa Marta

Bien placé, dans le vieux Milan, pour les visites touristiques, l'hôtel, frère jumeau du Rovello, domine une ruelle pavée et bordée de restaurants et de petites boutiques. Confortables, les chambres vont de l'exigu au spacieux. ◈ *Via Santa Marta 4 • plan L4 • 02-804-567 • €€€.*

6 Ariston

L'Ariston défend une approche écologique de l'hôtellerie : les appareils électriques consomment peu et les sanitaires permettent la récupération de l'eau, purifiée à l'instar de l'air. Bien entendu, les hôtes peuvent louer des bicyclettes. ◈ *Largo Carrobbio 2 • 02-7200-0556 • www. brerahotels.com • €€€.*

7 Manzoni

Au cœur du quartier des boutiques de luxe, le Manzoni n'a pas le standing de ses voisins, mais il coûte deux fois moins cher. À peine plus grandes que les chambres, les suites ne justifient pas le supplément. ◈ *Via Santo Spirito 20 • plan N2 • 02-7600-5700 • www. hotelmanzoni.com • €€€€*

8 Genius Hotel Downtown

Rénové après son achat par une chaîne inernationale en 2002, cet hôtel moderne sur une rue calme loue des chambres équipées de lits orthopédiques et de vastes salles de bains. ◈ *Via Porlezza 4 • 02-7209-4644 • www.geniusresort.it • pas de climatisation • €€€.*

9 Hotel Star

Cet hôtel moderne borde une petite rue paisible entre le quartier Brera et le Castello. Les chambres parquetées abritent des lits orthopédiques et un mobilier ancien mais fonctionnel. Les salles de bains sont modernes (certaines avec douches à hydromassage). ◈ *Via dei Bossi 5 • plan L3 • 02-801-501 • www.hotelstar.it • pas de climatisation • €€€.*

10 Gran Duca di York

Au XIXe s., ce *palazzo* accueillait les cardinaux en visite au Duomo voisin. Les chambres, parfois avec terrasse, sont confortables, mais le mobilier des années 1970 les enlaidit. ◈ *Via Moneta 1a • plan L4 • 02-874-863 • €€€.*

Sauf indication contraire, les hôtels de la p. 146 acceptent les cartes de paiement et toutes les chambres disposent d'une salle de bains et sont climatisées.

Catégories de prix

Prix par nuit pour une chambre double avec petit déjeuner (s'il est inclus), taxes et service compris.

€ moins de 110 €
€€ 110 €-160 €
€€€ 160 €-210 €
€€€€ 210 €-270 €
€€€€€ plus de 270 €

Gauche **Speronari** Droite **Ullrich**

Hôtels bon marché

1 Speronari

Le Speronari offre un confort deux-étoiles (la moitié des chambres n'ont ni salle de bains ni TV) mais sa situation, à côté de la piazza del Duomo, est celle d'un quatre-étoiles et ses tarifs sont ceux d'un une-étoile. Les chambres des étages supérieurs sont plus claires, celles donnant sur la cour sont épargnées par le bruit des tramways.
Ⓢ *Via Speronari 4 • plan M4 • 02-8646-1125 • €*.

2 Promessi Sposi

Au début du boulevard commerçant du nord de Milan, cet établissement, nommé d'après le roman de Manzoni *(p. 50)*, présente le meilleur rapport qualité-prix de la ville. Ses chambres meublées de rotin, sont, pour la plupart, de grande taille.
Ⓢ *Piazza Oberdan 12 • plan P1 • 02-2951-3661 •www.hotelpromessisposi. com • €€*.

3 Gritti

L'hôtel trois-étoiles donne sur une place tranquille et offre de bonnes prestations.
Ⓢ *Piazza S. Maria Beltrade 4 • 02-801-056 • www.hotelgritti.com • climatisation • €€*.

4 Paganini

Dans une rue résidentielle donnant sur le corso Buenos Aires, l'atmosphère donne

l'impression de séjourner chez des amis. Les huit chambres sont spacieuses et hautes de plafond mais une seule possède sa propre salle de bains.
Ⓢ *Via Paganini 6 • 02-204-7443 • €*.

5 Ullrich

L'Ullrich manque peut-être de style, mais il est difficile de trouver moins cher à Milan, surtout à proximité du Duomo. Les sept chambres n'ont pas de salle de bains, mais les sanitaires communs sont spacieux, neufs et propres.
Ⓢ *Corso Italia 6 • plan L5 • 02-8645-0156 • €*.

6 Kennedy

Le Kennedy se distingue des nombreuses *pensioni* de ce quartier proche du jardin public du corso Buenos Aires par sa propreté et son accueil. Deux chambres ont une salle de bains, et quelques-unes donnent vue sur les flèches du Duomo. Curieusement, l'expresso et un croissant coûtent le même prix au bar de l'hôtel que dans un café.
Ⓢ *Viale Tunisia 6 • plan P1 • 02-2940-0934 • €*.

7 Nuovo

Des encadrements de porte moulés et des éviers et des balcons en pierre donnent une touche d'originalité à cet hôtel une-étoile, à deux pas du pâté de maisons

du Duomo. Cependant, le mobilier des chambres est ancien et la direction peu aimable. Ⓢ *Piazza Beccaria 6 • plan N4 • 02-8646-4444 • Fax 02-7200-1752 • €*.

8 Commercio

Le minuscule Commercio jouit d'une situation idéale entre Brera, Castello et Duomo. Sa clientèle compte une majorité d'ouvriers. Les chambres abritent une douche, un évier et un bidet, mais pas de W.-C. Certaines chambres sont nettement moins chères que d'autres. Il faut payer d'avance et en liquide.
Ⓢ *Via Mercato 1/via d. Erbe • plan L2 • 02-8646-3880 • pas de cartes de paiement • €*.

9 Vecchia Milano

Sur une rue tranquille à l'ouest du Duomo. Les chambres lambrissées sont de bonne taille et comptent souvent un troisième lit abattable – une option intéressante en famille. Ⓢ *Via Borromei 4 • plan L4 • 02-875-042 • €€*.

10 Ostello Piero Rotta

Cette auberge de jeunesse exige (et vend) la carte d'adhérent. Elle se trouve hors du centre, près du stade San Siro, mais possède un joli jardin. Ⓢ *Vial M. Bassi 2 • 02-3926-7095 • €*.

Gauche **Agnello d'Oro, Bergame** Centre **Broletto, Mantoue** Droite **I Due Roccoli, Iseo**

🔝10 Hôtels hors de Milan

1 San Lorenzo, Bergame

Ouvert en 1998 dans un ancien couvent à l'extrémité nord de la ville haute, l'hôtel le plus chic de Bergame offre un service impeccable et des chambres sobres. 🚫 *Piazza Mascheroni 9a • www.hotelsanlorenzobg.it • plan D3 • 035-237-383 • €€.*

2 Agnello d'Oro, Bergame

L'immeuble date de 1600 et évoque un chalet de montagne. Les chambres sont chaleureuses, mais leur aménagement manque d'imagination. En façade, leurs petits balcons fleuris donnent sur la rue principale. 🚫 *Via Gombito 22 • plan D3 • 035-249-883 • €.*

3 San Lorenzo, Mantoue

Luxueusement meublé dans un esprit évoquant les XVIIIe et XIXe s., le San Lorenzo occupe plusieurs maisons bourgeoises dans le quartier historique piétonnier. Son toit en terrasse ménage une superbe vue panoramique. 🚫 *Piazza Concordia 14 • plan H6 • 0376-220-500 • www. hotelsanlorenzo.it • €€€.*

4 Broletto, Mantoue

À 100 m du Lago Inferiore, ce *palazzo* du XVIe s. possède un décor intérieur récent et vaguement rustique sous des plafonds aux poutres apparentes. 🚫 *Via Accademia 1 • plan H6 • 0376-326-784 • €€.*

5 Duomo, Crémone

Malgré leur austérité, les chambres modernes sont confortables. Celles qui donnent sur la rue piétonnière donnent vue (du moins à demi) de la façade de la cathédrale, située à quelques pas. Le restaurant-pizzeria pratique des tarifs raisonnables 🚫 *Via Gonfalonieri 13 • plan E6 • 0372-35-242 • €.*

6 I Due Roccoli, Iseo

Sur la route de Polaveno, au sein d'un parc dominant le lac, cet établissement ménage un splendide panorama. La décoration des chambres est rustique, et les hôtes disposent de courts de tennis, d'une piscine et d'un excellent restaurant *(p.129).* 🚫 *Via Silvio Bonomelli • plan E4 • 030-982-2977 • www.idueroccoli.com • €€.*

7 Iseolago, Iseo

L'Iseolago offre l'atmosphère d'une hôtellerie et les avantages d'un complexe moderne avec centre de remise en forme, plage, piscines et courts de tennis. Situé en périphérie, il est accessible en voiture. 🚫 *Via Colombera, 2 • plan E4 • 030-98-891 • www.iseolago-hotel.it • €€.*

8 Villa Crespi, lac d'Orta

À l'embranchement pour Orta San Giulio, cette villa néomauresque de 1879 loue des suites et des chambres somptueuses. Les sols sont en parquet ou en mosaïque, les murs sont tendus de brocarts et les lits à baldaquin. Le restaurant propose une excellente cuisine régionale. 🚫 *Via Fava, 18 • plan A3 • 0322-911-908 • www.lagodortahotels.com • fer. 7 janv.-13 fév. • €€€€.*

9 Villa Principe Leopoldo, lac de Lugano

Au-dessus de Lugano, à flanc de colline, du côté suisse, cette demeure princière, la Villa, édifiée au XIXe s. abrite des suites fastueuses. Les chambres doubles de son annexe, la Résidence, ont moins d'éclat. Les prestations, de grande qualité, vont du centre d'affaire au salon de beauté. 🚫 *Via Montalbano 5 • plan B1 • 0041-95-985-8825 • www.leopoldo hotel.com • €€€€€.*

10 Vittoria, Brescia

Le seul véritable hôtel dans le centre historique possède tout le confort moderne d'un cinq-étoiles, mais ses tarifs sont excessivement élevés. 🚫 *Via X Giornate 20 • plan F4 • 030-280-061 • www. hotelvittoria.com • €€€€.*

Mode d'emploi

Gauche **Enseigne de camping** Centre **Camping à Brione** Droite **Piscine du Campeggio Garda**

🔟 Locations et campings

1 Rescasa, Milan
L'une des principales agences de location de meublés, souvent appelés *residences* en Italie, tient à jour une brochure, téléchargeable par l'Internet, offrant des douzaines de possibilités à Milan et dans la région. ✎ *Via Serbelloni 7* • plan P2 • *02-7600-8770* • *www.rescasa.it* • €€€€€.

2 Santospirito Residence, Milan
Cette résidence de luxe, dans le « Quadilatero di Oro », loue 12 studios aux planchers de noyer, équipés de la télévision par satellite. La literie est changée tous les jours, la cuisinette nettoyée matin et soir. ✎ *Via Santo Spirito 17* • plan N2 • *02-7600-6500* • *www.santo spirito.it* • €.

3 Planet Residence, Milan
Climatisés et équipés de magnétoscopes, les appartements, deux ou trois-pièces, sont spacieux mais banals. Le personnel de nettoyage passe trois fois par semaine. Tarifs à la journée ou à la semaine. ✎ *Via Rovigno 23* • *02-2611-3753* • *ww.planetresidence.it* • €€.

4 Camping Isolino, Verbania, lac Majeur
Cet oasis de tranquillité borde un plage de sable à la pointe d'une réserve naturelle. Les clients y disposent de commerces, d'une pizzeria, d'un restaurant, de jeux vidéo, d'une piscine et d'une boîte de nuit. Ils peuvent prendre des leçons de planche à voile ou participer à des excursions en VTT. ✎ *Via per Feriolo 25* • plan A2 • *0323-496-080* • *www. isolino.it* • ferm. oct.-mars • €.

5 Camping Conca d'Oro, Feriolo di Baveno, lac Majeur
Dans un site verdoyant proche de Baveno dans la réserve naturelle du Toce, ce camping possède un restaurant, un commerce, des jeux vidéo et des terrains de volley-ball et de football. Il borde une plage de sable et loue des VTT et des kayaks. ✎ *Via 42 Martiri 26* • plan A2 • *0323 28116* • *www.concadoro.it* • ferm. sept.-mars • €.

6 Camping Villaggio Gefara, Domaso, lac de Côme
Ce camping deux-étoiles au bord de l'eau ne renferme qu'un bar, à proximité des commerces et restaurants de la station de Domaso. ✎ *Via Case Spare 188* • plan C2 • *0344-96-163* • *www.campinggefara.it* • ferm. 6 oct.-27 mai • €.

7 Camping Brione, Riva, lac de Garde
Le domaine verdoyant au bord du lac abrite piscine, courts de tennis et minigolf. Les propriétaires de petites tentes peuvent s'installer sur des terrasses plantées d'oliviers. ✎ *Via Monte Brione 32* • plan H3 • *0464-520-885* • *www.campingbrione.com* • ferm. oct.-mars • €.

8 Campeggio Garda, Limone, lac de Garde
Tout près du centre historique de Limone, ce camping possède sa propre plage (voile et planche à voile), deux piscines, un restaurant de poisson, une pizzeria, un grill au bord de l'eau et un supermarché ✎ *Via IV Novembre 10* • plan G3 • *0365-954-550* • ferm. nov.-fév. • €.

9 Camping del Sole, lac d'Iseo
Mieux vaut réserver les quelques emplacements en bord de lac de ce grand camping. Piscines, terrain de basket-ball et courts de tennis font partie des équipements. ✎ *Via per Rovato* • plan E4 • *030-980-288* • *www.campingdelsole.it* • ferm. oct.-mars • €.

10 Campeggio Citta di Milano
L'unique camping de Milan se trouve près de la SS22, en direction de Novara non loin du stade San Siro et d'un parc aquatique. Il offre les prestations d'un quatre-étoiles, dont une discothèque. ✎ *Via G Airaghi 61* • *02-4820-0134* • ferm. 1ᵉʳ déc.-31 janv. • €.

Louer un appartement coûte de 500 à 2 000 € par semaine selon sa taille, son équipement, son standing et sa situation.

Index

Index

Index

Remerciements

Auteur
Reid Bramblett écrit des récits de voyages et vit actuellement à New York. Il est l'auteur de guides de l'Italie, de l'Europe et de New York pour Frommer's, ainsi que du *Top 10 Toscane*.

Produit par
BLUE ISLAND PUBLISHING, Londres
www.blueisland.co.uk

Direction éditoriale
Rosalyn Thiro

Direction artistique
Stephen Bere

Collaboration éditoriale
Michael Ellis

Correction
Jane Simmonds, Charlotte Rundall

Conception
Lee Redmond

Iconographie
Ellen Root

Aide aux recherches
Amaia Allende

Correction des épreuves
Jane Simmonds

Vérification des informations
Silvia Gallotti

Index
Charlotte Rundall

Principaux photographes
Paul Harris et Anne Heslope

Photographies d'appoint
Steve Bere, John Heseltine, Clive Streeter.

Cartographie
James Anderson, Jane Voss (Anderson Geographics Ltd)

Chez DORLING KINDERSLEY

Éditeur
Douglas Amrine

Direction de la publication
Anna Streiffert

Direction artistique
Marisa Renzullo

Cartographie
Casper Morris

Informatique éditoriale
Jason Little

Fabrication
Melanie Dowland

Crédits photographiques
L'éditeur exprime sa reconnaissance aux institutions et particuliers pour leur assistance et leur autorisation de photographier.

h = en haut ; hg = en haut à gauche ; hd = en haut à droite ; hc = en haut au centre ; c = au centre ; cd = au centre à droite ; b = en bas ; bg = en bas à gauche ; bd = en bas à droite

Remerciements

Les œuvres d'art ont été reproduites avec l'autorisation des détenteurs de droit suivants :

ARCHIVIO ISTITUTO GEOGRAFICO DEAGOSTINI : 24bd, 24bg ; ARCHIVO STORICO DEL CINEMA/ AFE : réalisé par Mario Camerini 50hg, réalisé par Michelangelo Antonioni 50hd, réalisé par Charles Vidor 50c, réalisé par Vittorio De Sica 50b.

BRIDGEMAN ART LIBRARY, Londres : Biblioteca Ambrosiana, Milan 48hc ; collection de Riccardo et Magda Jucker, Milan 14c ; Ognissanti, Florence détail de *St Augustin* par Sandro Botticelli 33hd ; Museo del Duomo, *Le Christ parmi les docteurs* par le Tintoret 73b ; Nationalmuseum, Stockholm, *La Bataille de Pavie* par Ruprecht Heller 32b ; Pinacoteca Ambrosiana 7hg, 18c, 18-19 ; Pinacoteca di Brera 13c, 15b, 48b ; Sandro Botticelli, *Portrait de Guiliano de Medici* 27b ; collection privée 32hd, 33cd.

CORBIS : Ted Spiegel 46hd ; Sandro Vannini 47h.

GENIUS RESORT : 146hd.

MAGAZZINI GENERALI : 61h ; FOTO MAJRANI, MILANO : fourni par Ikona 25h ; MARKA : 40hd ; M Albonico 85h, 87bd ; T. Conti 6bg, 12c, 14h, 40hg, 52hd ; M. Cristofori 40b ; C. Dogliani 40hc ; D. Donadoni 7hd, 24-25 27h, 60b ; G. Ferrari 52c ; F. Garufi 33bd ; S. Malli 8h, 24h, 53bg, 88hd ; G.

Mereghetti 52hg ; Foto OM 53hd ; F. Pizzochero 66hd, 67hg. ROLLING STONE : 60hd ; ROVELLO HOTEL : 146hg.

SANTA MARTA HOTEL : 146hc ; SCALA, Florence : Biblioteca Marucelliana, Firenze Leoni Ottavio 48hd ; Biblioteca Reale, Torino 48c ; Castello Sforenzesco 16h, 16b, 16-17, 17h, 17b ; Museo Poldi-Pezzoli 41b, 75b ; Museo Teatrale alla Scala 41h ; Palazzo Ducale Venezia Federico Zuccari, *Il Barbarossa bacia il piede a papa Alessandro III* 32hg ; Pinacoteca Ambrosiana 18b, 19c, 19b ; Pinacoteca di Brera 12h, 12b, 12-13, 13b, 14b, 15h, 48hg ; Sant'Ambrogio 20h, 20bg, 20bd, 21h, 21c, 20-21, 21b ; Santa Maria delle Grazie 6hg, 8c(d), 8b(d), 9t(d), 8-9, 9b(d), 30-31.

UFFICIO STAMPA ORCHETRA VERDI : Silvia Lelli 60hg.

Couverture
Première de couverture :
CORBIS : Archivo Iconografico, S. A. hc ; DK IMAGES : Paul Harris cgb et bg ; John Heseltine cgh ; GETTY IMAGES : Shaun Egan, illustration principale.
Quatrième de couverture : DK IMAGES : John Heseltine hg et hd ; Clive Streeter hc.

Toutes les autres illustrations © Dorling Kindersley.
Pour de plus amples informations www.dkimages.com

Lexique

En cas d'urgence

Au secours !	Aiuto !
Arrêtez !	Fermate !
Appelez un docteur.	Chiama un medico.
Appelez une ambulance.	Chiama un' ambulanza.
Appelez la police.	Chiama la polizia.
Appelez les pompiers.	Chiama i pompieri.
L'hôpital le plus proche ?	L'ospedale più vicino ?

L'essentiel

Oui/Non	Si/No
S'il vous plaît	Per favore
Merci	Grazie
Excusez-moi	Mi scusi
Bonjour	Buon giorno
Au revoir	Arrivederci
Bonsoir	Buona sera
Hier	ieri
Aujourd'hui	oggi
Demain	domani
Quoi ?	Quale?
Quand ?	Quando?
Pourquoi ?	Perchè?
Où ?	Dove?

Quelques phrases utiles

Comment allez-vous ?	Come sta ?
Très bien, merci.	Molto bene, grazie.
Ravi de vous rencontrer.	Piacere di conoscerla.
C'est parfait.	Va bene.
Où est/sont…?	Dov'è/ Dove sono… ?
Comment aller à… ?	Come faccio per arrivare a… ?
Parlez-vous français ?	Parla francese ?
Je ne comprends pas.	Non capisco.
Je suis désolé.	Mi dispiace.

Les achats

Combien cela coûte-t-il ?	Quant'è, per favore ?
J'aimerais…	Vorrei…
Avez-vous… ?	Avete… ?
Acceptez-vous les cartes de crédit ?	Accettate carte di credito ?
À quelle heure ouvrez-vous/fermez-vous ?	A che ora apre/ chiude ?
Celui-ci	questo
Celui-là	quello
Cher	caro
Bon marché	a buon prezzo
La taille (vêtements)	la taglia
La pointure	il numero
Blanc	bianco
Noir	nero
Rouge	rosso
Jaune	giallo
Vert	verde
Bleu	blu
Brun	marrone

Les magasins

la boulangerie	il forno /il panificio
la banque	la banca
la librairie	la libreria
la pâtisserie	la pasticceria
la pharmacie	la farmacia
l'épicerie fine	la salumeria
le grand magasin	il grande magazzino
l'épicier	alimentari
le coiffeur	il parrucchiere
le glacier	la gelateria
le marché	il mercato
le marchand de journaux	l'edicola
la poste	l'ufficio postale
le supermarché	il supermercato
le bureau de tabac	il tabaccaio
l'agence de voyages	l'agenzia di viaggi

Le tourisme

la galerie de peintures	la pinacoteca
l'arrêt d'autobus	la fermata dell'autobus
l'église	la chiesa
	la basilica
fermé les jours fériés	chiuso per le ferie
le jardin	il giardino
le musée	il museo
la gare	la stazione
l'Office du tourisme	l'Ufficio di turismo

À l'hôtel

Avez-vous des chambres libres ?	Avete camere libere?
une chambre pour deux personnes	una camera doppia
avec un grand lit	con letto matrimoniale
une chambre avec deux lits	una camera con due letti
une chambre pour une personne	una camera singola
une chambre avec bain, douche	una camera con bagno, con doccia
J'ai réservé une chambre.	Ho fatto una prenotazione.

Au restaurant

Avez-vous une table pour… ?	Avete una tavola per… ?
J'aimerais réserver une table.	Vorrei riservare una tavola.
petit déjeuner	colazione
déjeuner	pranzo
dîner	cena
L'addition, s'il vous plaît.	Il conto, per favore.
Je suis végétarien/ne.	Sono vegetariano/a.
la serveuse	cameriera
le garçon	cameriere
le menu à prix fixe	il menù a prezzo fisso
le plat du jour	piatto del giorno
le hors-d'œuvre	antipasto
l'entrée	il primo

Lexique

le plat principal	il secondo
la garniture	il contorno
le dessert	il dolce
le supplément couvert	il coperto
la carte des vins	la lista dei vini
saignant	al sangue
à point	al puntino
bien cuit	ben cotto
le verre	il bicchiere
la bouteille	la bottiglia
le couteau	il coltello
la fourchette	la forchetta
la cuillère	il cucchiaio

Lire le menu

l'aceto	le vinaigre
l'acqua minerale	l'eau minérale
gassata/naturale	gazeuse/plate
agnello	agneau
aglio	ail
al forno	au four
le fragole	les fraises
alla griglia	grillé
anatra	canard
arrosto	rôti
la birra	la bière
la bistecca	le bifteck
il burro	le beurre
il caffè	le café
la carne	la viande
carne di maiale	le porc
la cipolla	l'oignon
i fagioli	les haricots
il formaggio	le fromage
il fritto misto	la salade de fruits
la frutta	le fruit
frutti di mare	fruits de mer
i funghi	les champignons
i gamberi	les crevettes
il gelato	la crème glacée
l'insalata	la salade
il latte	le lait
lesso	bouilli
il manzo	le bœuf
la melanzana	l'aubergine
l'olio	l'huile
il pane	le pain
le patate	les pommes de terre
le patatine fritte	les frites
il pepe	le poivre
il pesce	le poisson
il pollo	le poulet
il pomodoro	la tomate
il prosciutto	le jambon
cotto/crudo	cuit/cru
il riso	le riz
il sale	le sel
la salsiccia	la saucisse
succo	jus
d'arancia/	d'orange/
di limone	de citron
il tè	le thé
la torta	le gâteau
l'uovo	l'œuf
vino bianco	le vin blanc
vino rosso	le vin rouge
il vitello	le veau
le vongole	les coques ou
	les palourdes
lo zucchero	le sucre
la zuppa	la soupe

Les nombres

1	uno
2	due
3	tre
4	quattro
5	cinque
6	sei
7	sette
8	otto
9	nove
10	dieci
11	undici
12	dodici
13	tredici
14	quattordici
15	quindici
16	sedici
17	diciassette
18	diciotto
19	diciannove
20	venti
30	trenta
40	quaranta
50	cinquanta
60	sessanta
70	settanta
80	ottanta
90	novanta
100	cento
1 000	mille
2 000	duemila
1 000 000	un milione

Le jour et l'heure

une minute	un minuto
une heure	un' ora
un jour	un giorno
lundi	lunedì
mardi	martedì
mercredi	mercoledì
jeudi	giovedì
vendredi	venerdì
samedi	sabato
dimanche	domenica